Le Livre de Poche Jeunesse

Tistou
les pouces verts

Maurice Druon

Maurice Druon est né à Paris en 1918. Il a reçu le prix Goncourt à trente ans, puis s'est lancé dans une grande série de romans historiques.

Élu à l'Académie française en 1966, il a été ministre des Affaires culturelles de 1972 à 1974. Dans son œuvre, qui peint la société sous des couleurs sombres et satiriques, *Tistou les pouces verts* est comme une fleur inattendue qu'il a dédiée aux enfants.

Maurice Druon
de l'Académie française

Tistou
les pouces verts

Illustrations :
Jacqueline Duhême

Avant-propos

Tistou les Pouces verts *est le seul conte pour
enfants que j'aie écrit, et le seul sans doute que
j'écrirai jamais.*

Il m'amusa, un jour, entre deux tomes des
Rois Maudits *et comme pour me détendre, de
m'essayer à un genre littéraire que je n'avais point
encore abordé, et fort éloigné de tous mes autres
ouvrages. Je me suis aperçu, chemin faisant, que
les différences portaient seulement sur la forme et
l'expression, mais que les problèmes de fond res-
taient bien les mêmes.*

*Et d'abord parce qu'il n'y a pas vraiment
d'enfants auxquels on doive s'adresser précisé-*

ment. Il y a de futures grandes personnes, et puis aussi d'anciens enfants. Jamais, dans la vie courante, je ne prends le ton enfantin pour parler à un enfant ; je ne l'imagine pas si niais qu'il me faille niaiser pour m'en faire entendre. Quand j'étais petit, et qu'on usait avec moi de cette mauvaise façon, cela me vexait beaucoup, et je pensais, sans bien sûr oser l'exprimer : « Voici un Monsieur bien bête qui éprouve le besoin de s'accroupir pour faire semblant d'être de ma taille. »

Le personnage de Tistou est un petit garçon de cette espèce-là, qui n'admet pas que les grandes personnes lui expliquent le monde à l'aide d'idées toutes faites. Et comme il ouvre – c'est la vertu essentielle de l'enfance – un œil neuf sur les êtres et les choses, il met souvent en déroute le raisonnement des grandes personnes qui ont le jugement faussé par les lunettes de l'habitude. Particulièrement, il ne comprend pas pourquoi, puisqu'on vit plus heureux avec de bons sentiments qu'avec de mauvais, avec la liberté qu'avec la contrainte, avec la justice qu'avec l'arbitraire, avec la paix qu'avec la guerre, disons très simplement avec le bien qu'avec le mal, les hommes ne parviennent pas à s'accorder pour vivre dans le bien.

Pour ma part, et c'est probablement ce qui me reste d'enfance, je n'ai pas encore compris ni admis cette incapacité.

Tout enfant est impatient d'agir dans le sens du bien commun, et il attend pour cela le miracle d'être grand. Et puis, quand il est grand, généralement, il a oublié ce qu'il voulait faire, ou bien il y a renoncé. Et rien ne se produit. Il y a seulement une grande personne de plus, sans miracle.

Tistou, lui, a la chance, et c'est là où commence la féerie, de pouvoir agir étant petit. Et il agit en se servant des fleurs, qui sont, exactement comme l'enfance, promesse et espérance.

Comment ce petit homme, cette promesse d'homme, emploie-t-il les fleurs pour rappeler aux anciens enfants que nous sommes qu'ils peuvent vivre plus heureux ? C'est ce que le conte va vous apprendre.

Mais il est bien évident que Tistou n'est pas un enfant comme les autres.

Il me le prouve depuis dix ans par les amis qu'il me fait à travers le monde et qui sont de tous les âges.

Novembre 1967.

Chapitre 1

Où l'auteur, à propos du nom de Tistou, fait quelques réflexions

Tistou est un nom bizarre que l'on ne trouve dans aucun calendrier, ni en France ni en d'autres pays. Il n'y a pas de Saint Tistou.

Or il existait un petit garçon que tout le monde appelait Tistou... Ceci mérite quelques explications.

Un jour, tout de suite après sa naissance, alors qu'il n'était pas plus gros qu'un pain de ménage dans une corbeille de boulanger, une marraine en robe à manches longues, un parrain en chapeau noir, avaient porté ce petit garçon à l'église et annoncé au curé qu'il s'appelait François-Baptiste. Ce jour-là, comme la plupart des nourrissons dans sa situation, ce petit garçon avait protesté, crié, était devenu tout rouge. Mais les grandes personnes, qui ne comprennent rien aux protestations des nouveau-nés, avaient soutenu avec assurance que cet enfant se nommait bien François-Baptiste.

Puis la marraine en manches longues, le parrain en chapeau noir, l'avaient ramené dans son berceau. Tout aussitôt s'était produite une chose étrange : les grandes personnes, comme si elles n'avaient plus été capables de former avec leur langue le nom qu'elles avaient donné à l'enfant, s'étaient mises à l'appeler Tistou.

Le fait, dira-t-on, n'est pas rare. Combien de petits garçons et de petites filles sont inscrits à la mairie ou à l'église sous le nom d'Anatole, de Suzanne, d'Agnès ou de Jean-Claude, et que l'on n'appelle jamais autrement que Tola, Zette, Puce ou Mistouflet !

Ceci prouve simplement que les grandes personnes ne savent pas vraiment notre nom, pas plus qu'elles ne savent d'ailleurs, en dépit de ce

qu'elles prétendent, d'où nous venons, ni pourquoi nous sommes au monde, ni ce que nous avons à y faire.

Les grandes personnes ont, sur toutes choses, des idées toutes faites qui leur servent à parler sans réfléchir. Or les idées toutes faites sont généralement des idées mal faites. Elles ont été fabriquées il y a longtemps, on ne sait plus par qui ; elles sont très usées, mais comme il y en a plusieurs, à propos de n'importe quoi, elles ont ceci de pratique qu'on peut en changer souvent.

Si nous ne sommes nés que pour devenir un jour une grande personne pareille aux autres, les idées toutes faites se logent très facilement dans notre tête, à mesure qu'elle grossit.

Mais si nous sommes venus sur la terre pour accomplir un travail particulier, qui réclame de bien regarder le monde autour de soi, les choses ne vont plus si facilement. Les idées toutes faites refusent de rester sous notre crâne ; elles nous sortent de l'oreille gauche juste après qu'elles sont entrées par notre oreille droite ; elles tombent par terre et elles se cassent.

Nous causons ainsi de graves surprises d'abord à nos parents et ensuite à toutes les grandes personnes qui tenaient si fort à leurs fameuses idées !

Et c'est justement ce qui se produisit avec ce petit garçon qu'on avait appelé Tistou, sans lui demander son avis.

Chapitre 2

Où l'on présente à la fois Tistou, ses parents, et la Maison-qui-brille

Les cheveux de Tistou étaient blonds et frisés au bout. Imaginez des rayons de soleil qui se fussent tous terminés par une petite boucle en touchant la terre. Tistou avait des yeux bleus grands ouverts, des joues roses et fraîches. On l'embrassait beaucoup.

Car les grandes personnes, celles surtout qui ont de larges narines noires, des rides sur le front et du poil dans les oreilles, embrassent tout le temps les petits garçons aux joues fraîches. Elles

disent que cela fait plaisir aux petits garçons ;
c'est encore une de leurs idées toutes faites.
C'est à elles, les grandes personnes, que cela
fait plaisir, et les petits garçons aux joues
fraîches sont bien gentils de leur procurer cet
agrément.

Tous les gens qui voyaient Tistou
s'écriaient :

— Oh ! le joli petit garçon !

Mais Tistou n'en tirait pas orgueil. La beauté
lui semblait une chose naturelle. Il s'étonnait
que tous les hommes, toutes les femmes et tous
les petits enfants ne fussent pas comme ses
parents et lui-même.

Car les parents de Tistou étaient l'un et l'autre
fort beaux, il faut nous hâter de le dire, et c'est
en les regardant que Tistou avait pris l'habitude
de penser qu'il était normal d'être beau, alors
que la laideur lui paraissait une exception ou
une injustice.

Le père de Tistou, qui s'appelait Monsieur
Père, avait les cheveux noirs et soigneusement
collés à la brillantine ; il était grand, très bien
vêtu ; il n'avait jamais la moindre petite pous-

sière sur le col de son veston et il se parfumait à l'eau de Cologne.

Madame Mère était blonde et légère ; ses joues étaient douces comme la peau des fleurs, ses ongles étaient roses comme des pétales de roses, et lorsqu'elle sortait de sa chambre elle répandait autour d'elle un parfum de bouquet.

Vraiment Tistou n'était pas à plaindre, car en plus de Monsieur Père et de Madame Mère, qu'il avait pour lui tout seul, il profitait de leur immense fortune.

En effet, Monsieur Père et Madame Mère, vous l'avez déjà compris, étaient fort riches.

Ils habitaient une magnifique maison à plusieurs étages avec un perron, une véranda, un grand escalier, un petit escalier, de hautes fenêtres alignées par rangées de neuf, des tourelles coiffées de chapeaux pointus, et tout autour un superbe jardin.

Dans chaque pièce de la maison se trouvaient des tapis si épais, si moelleux que l'on y marchait en silence. Pour jouer à cache-cache, c'était merveille, et aussi pour courir sans pantoufles, chose défendue qui faisait dire à Madame Mère :

— Tistou, mets tes pantoufles, tu vas prendre froid !

Mais Tistou n'attrapait jamais de rhume, à cause des gros tapis.

Il y avait aussi la rampe du grand escalier, la rampe en cuivre, bien astiquée, un immense S majuscule à plusieurs bosses, né dans les hauteurs de la maison et qui tombait comme un éclair d'or sur la peau d'ours du rez-de-chaussée.

Dès qu'il était seul, Tistou enfourchait la rampe et s'élançait pour des descentes vertigineuses. Cette rampe c'était son toboggan privé, son tapis volant, son chemin magique, que chaque matin le valet Carolus polissait, fourbissait avec une ardeur farouche.

Car Monsieur Père et Madame Mère avaient le goût de tout ce qui brille, et l'on se donnait grand mal pour les satisfaire.

Le coiffeur, grâce à la brillantine dont nous avons déjà parlé, avait réussi à faire de la chevelure de Monsieur Père un casque à huit

reflets que tout le monde admirait. Les chaussures de Monsieur Père étaient si bien cirées, si bien frottées, qu'elles semblaient, lorsqu'il marchait, lancer devant lui des étincelles.

Les ongles roses de Madame Mère, chaque jour passés au polissoir, brillaient comme dix petites fenêtres au lever du soleil. Autour du cou de Madame Mère, à ses oreilles, ses poignets et ses doigts, scintillaient colliers, boucles, bracelets et bagues de pierres précieuses, et lorsqu'elle sortait le soir, pour aller au théâtre ou au bal, toutes les étoiles de la nuit semblaient ternes à côté d'elle.

Le valet Carolus, utilisant une poudre de son invention, avait fait de la rampe le chef-d'œuvre que l'on sait. Il se servait aussi de cette poudre pour astiquer les boutons de portes, les flambeaux d'argent, les cristaux des lustres, les salières, les sucriers et les boucles de ceintures.

Quant aux neuf voitures qui couchaient dans le garage, il fallait presque chausser des lunettes noires pour les regarder. Lorsqu'on les mettait en route toutes ensemble et qu'elles avançaient dans les rues, les gens s'arrêtaient le long des trottoirs. On aurait dit la galerie des Glaces en promenade.

— Mais c'est Versailles ! s'écriaient les plus instruits.

Les distraits ôtaient leur chapeau, croyant saluer un enterrement. Les coquettes en profitaient pour se mirer dans les portières et se repoudrer le nez.

À l'écurie, on nourrissait neuf chevaux, plus beaux les uns que les autres. Le dimanche, lorsqu'il y avait des visites, on installait les neuf chevaux dans le jardin, pour orner le paysage. Le Grand Noir allait sous le magnolia en compagnie de sa femme Belle Jument. Le poney Gymnastique prenait sa place près du kiosque. Devant la maison, sur l'herbe verte, on alignait les six chevaux groseille, une race de chevaux rouges, extrêmement rares, qu'on élevait chez Monsieur Père et dont il était très fier.

Les garçons d'écurie, en uniforme de jockey, couraient, la brosse en main, d'un cheval à l'autre, car il fallait que les animaux brillent aussi, surtout le dimanche.

— Mes chevaux doivent être comme des joyaux ! disait Monsieur Père à ses jockeys.

Cet homme fastueux était bon ; on s'empressait donc de lui obéir. Et les jockeys brossaient les chevaux, neuf poils dans un sens, neuf poils dans l'autre, si bien que la croupe des chevaux groseille ressemblait à d'énormes rubis bien taillés. Les crinières et les queues étaient tressées de papier d'argent.

Tistou adorait tous ces chevaux. La nuit, il rêvait qu'il dormait parmi eux, sur la paille blonde de l'écurie. Le jour, il allait à tout moment leur rendre visite.

Lorsqu'il mangeait un chocolat, il mettait le papier d'argent soigneusement de côté et le donnait au jockey chargé de soigner le poney Gymnastique. Car de tous les animaux, Gymnastique était de beaucoup son préféré ; et cela se comprend puisque Tistou et le poney étaient à peu près de même taille.

Ainsi, vivant dans la Maison-qui-brille, auprès de son père, un homme scintillant, et de sa mère, un vrai bouquet, au milieu de

beaux arbres, de belles voitures et de
beaux chevaux, Tistou était un enfant très
heureux.

Chapitre 3

Où l'on apprend
à connaître Mirepoil,
ainsi que l'usine
de Monsieur Père

Mirepoil, ainsi s'appelait la ville où Tistou était né et dont la maison et surtout l'usine de Monsieur Père faisaient la fortune et la réputation.

Mirepoil, à première vue, était une ville comme toutes les autres, avec église, prison, caserne, bureau de tabac, épicerie, bijouterie. Et pourtant cette ville comme toutes les autres était connue dans le monde entier parce que c'était à Mirepoil que Monsieur Père fabriquait des canons très demandés, des canons de tous calibres, des gros, des petits, des longs, des canons de poche, des canons montés sur roues, des canons pour trains, pour avions, pour tanks, pour bateaux, des canons pour tirer par-dessus les nuages, des canons pour tirer sous l'eau, et même une variété de canons extra-légers faits pour être portés à dos de mulets ou de chameaux dans les pays où les gens laissent pousser trop de cailloux et où les routes n'arrivent pas à passer.

En un mot, Monsieur Père était marchand de canons.

Depuis qu'il avait l'âge d'écouter et de comprendre, Tistou s'entendait répéter :

— Tistou, mon garçon, c'est un bon commerce que le nôtre. Les canons ne sont pas comme les parapluies, dont personne ne veut lorsqu'il fait du soleil, ou comme les chapeaux de paille, qui restent en devanture pendant les étés pluvieux. Quel que soit le temps, on vend du canon.

Les jours où Tistou n'avait pas faim, Madame Mère le conduisait à la fenêtre et lui montrait, très loin, tout au fond du jardin, bien au-delà du kiosque où se tenait le poney Gymnastique, l'usine monumentale qui appartenait à Monsieur Père.

Madame Mère faisait compter à Tistou les neuf immenses cheminées qui crachaient du feu toutes à la fois, puis elle le ramenait vers son assiette en lui disant :

— Mange ton potage, Tistou, car il te faut grandir. Un jour tu seras le maître de Mirepoil. Fabriquer des canons, c'est très fatigant, et l'on n'a que faire de freluquets dans nos familles.

Car nul ne doutait que Tistou ne prît un jour la suite de Monsieur Père pour diriger l'usine, tout comme Monsieur Père avait pris la succession de Monsieur Grand-Père dont le portrait en peinture, le visage encadré d'une barbe brillante et la main posée sur un affût de canon, pendait au mur du grand salon.

Et Tistou, qui n'était pas mauvais garçon, s'appliquait à manger sa soupe au tapioca.

Chapitre 4

Où Tistou
est envoyé à l'école
et n'y reste guère

Jusqu'à l'âge de huit ans, Tistou ignora l'école. Madame Mère, en effet, avait préféré commencer elle-même l'instruction de son fils et lui enseigner les rudiments de la lecture, de l'écriture et du calcul. Les résultats, il faut en convenir, n'étaient pas mauvais. Grâce à de très jolies images achetées spécialement, la lettre A s'était installée dans la tête de Tistou sous l'apparence d'un Âne, puis d'une Alouette, puis d'un Aigle ; la lettre B sous la forme d'une Bille, d'une Boule, d'un Ballon, *et cœtera*. Pour le calcul, on se servait d'hirondelles posées sur des fils électriques. Tistou avait appris non seulement à additionner ou à soustraire, mais il parvenait même à diviser, par exemple, sept hirondelles par deux fils... ce qui produit trois hirondelles et demie par fil. Comment une demi-hirondelle pourrait-elle se tenir sur un fil électrique, cela c'est une autre affaire que tous les calculs du monde n'ont jamais pu expliquer !

Lorsque Tistou atteignit son huitième anniversaire, Madame Mère considéra que sa tâche était terminée et qu'il fallait confier Tistou à un véritable professeur.

On acheta donc à Tistou un très joli tablier à carreaux, des bottines neuves qui lui serraient les pieds, un cartable, un plumier noir décoré de personnages japonais, un cahier à grandes lignes, un cahier à petites lignes, et on le fit conduire par le valet Carolus à l'école de Mirepoil qui avait très bonne réputation.

Tout le monde s'attendait à ce qu'un petit garçon si bien vêtu, qui avait des parents si beaux et si riches, et qui savait déjà diviser les hirondelles par moitiés et par quarts, tout le monde s'attendait à ce que ce petit garçon-là fît des merveilles en classe.

Hélas, hélas ! L'école eut sur Tistou un effet imprévisible et désastreux.

Lorsque s'ouvrait le lent défilé des lettres qui marchent au pas sur le tableau noir, lorsque commençait à se dérouler la longue chaîne des trois-fois-trois, des cinq-fois-cinq, des sept-fois-sept, Tistou éprouvait un picotement dans l'œil gauche et tombait bientôt profondément endormi.

Il n'était pourtant ni sot ni paresseux ni fatigué non plus. Il était plein de bonne volonté.

« Je ne veux pas dormir, je ne veux pas dormir », se disait Tistou.

Il vissait les yeux au tableau, collait ses oreilles à la voix du maître. Mais il sentait venir le petit picotement... Il essayait de lutter par tous les moyens contre le sommeil. Il se chantait tout bas une très jolie chanson de son invention :

Un quart d'hirondelle,
Est-ce que c'est la patte
Ou est-ce que c'est l'aile ?

Rien à faire. La voix du maître se changeait en berceuse ; il faisait nuit sur le tableau noir ; le plafond chuchotait à Tistou : « Pstt, pstt, par ici les beaux rêves ! » et la classe de Mirepoil devenait la classe aux songes.

— Tistou ! criait brusquement le maître.

— Je ne l'ai pas fait exprès, monsieur, répondait Tistou, réveillé en sursaut.

— Cela m'est égal. Répétez-moi ce que je viens de dire !

— Six tartes... divisées par deux hirondelles...

— Zéro !

Le premier jour d'école, Tistou rentra chez lui les poches pleines de zéros.

Le second jour, il reçut en punition deux heures de retenue, c'est-à-dire qu'il resta deux heures de plus à dormir dans la classe.

Au soir du troisième jour, le maître remit à Tistou une lettre pour son père.

Dans cette lettre, Monsieur Père eut la douleur de lire ces mots :

Monsieur, votre enfant n'est pas comme tout le monde. Il nous est impossible de le garder.

L'école renvoyait Tistou à ses parents.

"Pas comme tout le monde"

Chapitre 5

Où le souci pèse
sur la Maison-qui-brille
et où l'on décide,
pour Tistou,
d'un nouveau
système d'éducation

Le souci est une idée triste qui presse la tête au réveil et y reste accrochée toute la journée. Le souci se sert de n'importe quoi pour entrer dans les chambres ; il se faufile entre les feuilles avec le vent, il se met à cheval sur la voix des oiseaux, il court le long des fils de sonnettes.

Ce matin-là, à Mirepoil, le souci s'appelait : « Pas comme tout le monde. »

Le soleil ne se décidait pas à se lever.

« C'est bien ennuyeux de devoir réveiller ce

pauvre Tistou, se disait-il. Dès qu'il aura les yeux ouverts, il se rappellera qu'il a été chassé de l'école... »

Le soleil mit une sourdine à sa dynamo et jeta des petits rayons de rien du tout, empaquetés de brume ; le ciel resta gris au-dessus de Mirepoil.

Mais le souci a plus d'un tour dans son sac ; il s'arrange toujours pour se faire remarquer. Il se glissa dans la grosse sirène de l'usine.

Et chacun dans la maison entendit cette grosse sirène crier :

— Pas comme tout le mon-on-onde ! Tistou n'est pas comme tout le mon-on-onde !

Ainsi le souci pénétra dans la chambre de Tistou.

« Que va-t-il m'arriver ? » se demanda celui-ci. Et il renfonça la tête dans l'oreiller ; mais il ne put pas se rendormir. C'était désespérant, avouez-le, de si bien dormir en classe et si mal dans son lit !

Madame Amélie, la cuisinière, grommelait toute seule, en allumant ses fourneaux :

— Pas comme tout le monde, notre Tistou ? Et qu'est-ce qui me le prouve ? Il a deux bras, deux jambes... alors ?

Le valet Carolus, tout en astiquant la rampe de l'escalier d'un mouvement rageur, répétait :

— Pas comme ti le monde, Tisti ! Qu'on vienne mi le dire, à mi !

Carolus, nous tenons à le préciser, avait un léger accent étranger.

À l'écurie, les jockeys se chuchotaient :

— Pas comme tout le monde, un enfant si gentil... Vous y croyez, vous ?

Et comme les chevaux partagent les soucis des hommes, les pur-sang groseille eux-mêmes paraissaient nerveux, frappaient leurs bat-flanc, tiraient sur leur longe. Trois crins blancs avaient poussé brusquement au front de Belle Jument.

Seul le poney Gymnastique demeurait étranger à cette agitation et mangeait son foin d'un air tranquille en découvrant ses belles dents blanches terminées par un petit as de trèfle.

Mais à part ce poney qui jouait l'indifférent, chacun en vérité se demandait ce qu'on allait faire de Tistou.

Et ceux qui se posaient la question avec le plus d'inquiétude étaient forcément ses parents.

Devant sa glace, Monsieur Père se faisait briller la tête, mais sans joie et par habitude.

« Voilà un enfant, réfléchissait-il, qui semble plus difficile à élever qu'un canon. »

Rose sur ses oreillers roses, Madame Mère laissa glisser une larme dans son café au lait.

— S'il s'endort en classe, comment l'instruire ? demanda-t-elle à Monsieur Père.

— La distraction n'est peut-être pas une maladie incurable, répondit celui-ci.

— La rêverie, en tout cas, est moins dangereuse que la bronchite, reprit Madame Mère.

— Il faut tout de même que Tistou devienne un homme, dit Monsieur Père.

Après cet échange de fortes paroles, ils se turent un moment.

« Que faire, que faire ? » pensaient-ils chacun de son côté.

Monsieur Père était un homme aux décisions rapides et énergiques. Diriger une usine de canons vous trempe l'âme. D'autre part, il aimait beaucoup son fils.

— C'est très simple ; j'ai trouvé, déclara-t-il. Tistou n'apprend rien à l'école ; eh bien ! il n'ira plus dans aucune école. Ce sont les livres qui l'endorment ; supprimons les livres. Nous allons essayer sur lui un nouveau système d'éduca-

tion... puisqu'il n'est pas comme tout le monde !
Il apprendra les choses qu'il doit savoir en les
regardant directement. On lui enseignera sur
place à connaître les cailloux, le jardin, les
champs ; on lui expliquera comment fonctionnent la ville, l'usine et tout ce qui pourra
l'aider à devenir une grande personne. La vie,
après tout, c'est la meilleure école qui soit. On
verra bien le résultat.

Madame Mère, avec enthousiasme, approuva
la décision de Monsieur Père. Elle regretta
presque de n'avoir pas d'autres enfants auxquels
appliquer ce séduisant système éducatif.

Pour Tistou, c'en était fini des tartines avalées
en hâte, du cartable à traîner, du pupitre où la
tête tombe toute seule et des zéros par poignées
dans la poche ; une nouvelle vie allait commencer.

Et le soleil se remit à briller.

Chapitre 6

Où Tistou
prend une leçon de jardin,
et découvre, du même coup,
qu'il a les pouces verts

Tistou mit son chapeau de paille pour aller prendre sa leçon de jardin.

Monsieur Père avait jugé logique de commencer par là l'expérience du nouveau système d'éducation. Une leçon de jardin, c'était au fond une leçon de terre, la terre sur laquelle nous marchons, qui produit les légumes que nous mangeons, les herbes dont on nourrit les animaux jusqu'à ce qu'ils soient assez gros pour être mangés...

— La terre, avait déclaré Monsieur Père, est à l'origine de tout.

« Pourvu que le sommeil ne me reprenne pas ! » se disait Tistou en se rendant à la leçon.

Dans la serre, le jardinier Moustache, prévenu par Monsieur Père, attendait son élève.

Le jardinier Moustache était un vieil homme solitaire, peu bavard et pas toujours aimable. Une extraordinaire forêt, couleur de neige, lui poussait sous les narines.

La moustache de Moustache, comment vous la décrire ? Une véritable merveille de la nature. Les jours de bise, lorsque le jardinier s'en allait la pelle sur l'épaule, c'était superbe à voir ; on aurait dit deux flammes blanches qui lui sortaient du nez et lui battaient les oreilles.

Tistou aimait bien le vieux jardinier, mais il en avait un peu peur.

— Bonjour, Monsieur Moustache, dit Tistou en soulevant son chapeau.

— Ah ! te voilà, répondit le jardinier. Eh bien ! on va voir de quoi tu es capable. Voici un tas de terreau et voici des pots à fleurs. Tu vas remplir les pots avec du terreau, enfoncer ton

pouce au milieu pour faire un trou et ranger les pots en ligne le long du mur. Après nous mettrons dans les trous les graines qui conviennent.

Les serres de Monsieur Père étaient admirables et dignes en tout point du reste de la maison. Sous l'abri des vitres étincelantes, on entretenait, grâce à un gros calorifère, une atmosphère humide et chaude ; les mimosas y fleurissaient en plein hiver ; il y poussait des palmiers importés d'Afrique ; on y cultivait des lis pour leur beauté, des tubéreuses et des jasmins pour leur parfum, et même des orchidées, qui ne sont pas belles et qui ne sentent rien, pour une qualité tout à fait inutile à une fleur et qui s'appelle la rareté.

Moustache était seul maître dans cette partie du domaine. Quand Madame Mère faisait visiter les serres à ses amies du dimanche, le jardinier, habillé d'un tablier neuf, s'installait sur la porte, aimable et causant comme une pioche.

À la moindre tentative, de la part d'une de ces dames, de toucher aux fleurs, ou seulement d'en respirer le parfum, Moustache bondissait sur l'imprudente et lui disait :

— Non mais ! Vous voulez peut-être me les tuer, me les étrangler, me les suffoquer ?

Tistou, en accomplissant la tâche que Moustache lui avait donnée, eut une bonne surprise : ce travail ne l'endormait pas. Au contraire, il y prenait plaisir. Il trouvait que le terreau avait une bonne odeur. Un pot vide, une pelletée, un trou avec le pouce et le tour était joué. On passait au suivant. Les pots s'alignaient le long du mur.

Pendant que Tistou continuait avec beaucoup d'application, Moustache faisait lentement le tour du jardin. Et Tistou découvrit ce jour-là pourquoi le vieux jardinier parlait si peu aux gens ; c'est qu'il parlait aux fleurs.

Vous comprenez aisément que tourner le compliment à chaque rose d'un massif, à chaque œillet d'un buisson, ne laisse guère de voix, le soir venu, pour lancer des « Bonne nuit, monsieur » ou « Bon appétit, madame » ou encore des « À vos souhaits ! » lorsqu'on éternue devant vous, toutes choses qui font dire de quelqu'un : « Comme il est poli ! »

Moustache allait d'une fleur à l'autre, s'inquiétait de la santé de chacune.

— Alors, la rose-thé, toujours gamine ; on joue à garder des boutons en réserve pour les faire éclater quand personne ne s'y attend ? Et toi, le volubilis, tu te prends pour le roi de la montagne, à vouloir t'échapper vers le haut de mes châssis ! En voilà des façons !

Puis il se tourna vers Tistou et lui cria de loin :

— Alors, c'est pour aujourd'hui ou c'est pour demain ?

— Ne vous impatientez pas, professeur ; je n'ai plus que trois pots à remplir, répondit Tistou.

Il se hâta de terminer et alla rejoindre Moustache à l'autre bout du jardin.

— Voilà, j'ai fini.

— Bon, nous allons voir ça, fit le jardinier.

Ils revinrent lentement, parce que Moustache en profitait, ici pour féliciter une grosse pivoine de sa bonne mine, là pour encourager un hortensia à devenir bleu... Soudain, ils s'immobilisèrent, ébahis, bouleversés, stupéfaits.

— Voyons, voyons, je ne rêve pas, dit Mous-

tache en se frottant les yeux. Tu vois bien la même chose que moi ?

— Mais oui, Monsieur Moustache.

Le long des murs, là, à quelques pas, tous les pots remplis par Tistou avaient fleuri, en cinq minutes !

Entendons-nous bien ; il ne s'agissait pas d'une floraison timide ; de quelques pousses hésitantes et pâles. Non ! dans chaque pot s'épanouissaient de superbes bégonias, et tous ces bégonias alignés formaient un épais buisson rouge.

— Ce n'est pas croyable, disait Moustache. Il faut au moins deux mois pour faire des bégonias comme ceux-ci !

Un prodige est un prodige ; on commence par le constater et ensuite on essaie de l'expliquer.

Tistou demanda :

— Mais puisqu'on n'avait pas mis de graines, Monsieur Moustache, d'où viennent ces fleurs ?

— Mystère... mystère..., répondit Moustache.

Puis, brusquement, il prit entre ses mains

rugueuses les petites mains de Tistou, en disant :

— Montre-moi donc tes pouces !

Il examina attentivement les doigts de son élève, au-dessus, au-dessous, dans l'ombre et dans la lumière.

— Mon garçon, dit-il enfin après mûre réflexion, il t'arrive une chose aussi surprenante qu'extraordinaire. Tu as les pouces verts.

— Verts ? s'écria Tistou, fort étonné. Moi, je les vois roses, et même plutôt sales pour le moment. Ils ne sont pas verts.

— Bien sûr, bien sûr, tu ne peux pas le voir, reprit Moustache. Un pouce vert est invisible. Cela se passe sous la peau ; c'est ce qu'on appelle un talent caché. Seul un spécialiste peut le découvrir. Or je suis spécialiste et je t'affirme que tu as les pouces verts.

— À quoi ça sert, les pouces verts ?

— Ah ! c'est une qualité merveilleuse, répondit le jardinier, un vrai don du Ciel ! Vois-tu, il y a des graines partout. Non seulement dans la terre ; mais il y en a sur le toit des maisons, sur le rebord des fenêtres, sur les trottoirs, sur les palissades, sur les murs. Des milliers, des milliards de graines qui ne servent à rien. Elles sont là, elles attendent qu'un coup de vent les pousse vers un champ ou un jardin. Souvent elles meurent, prises entre deux pierres, sans avoir pu se changer en fleurs. Mais si un pouce vert se pose sur une de ces graines, où qu'elle soit, la fleur pousse, instantanément. Du reste, tu en as la preuve devant toi. Tes pouces ont découvert dans la terre des graines de bégonias, et tu vois le résultat. Crois-moi, je t'envie ; ça m'aurait été bien utile, dans mon métier, d'avoir les pouces verts.

Tistou ne parut pas enchanté de la révélation.

— On va encore dire que je ne suis pas comme tout le monde, murmura-t-il.

— Le mieux, répliqua Moustache, c'est de n'en parler à personne. À quoi bon éveiller la curiosité ou la jalousie ? Les talents cachés risquent toujours de nous attirer des ennuis. Tu as les pouces verts, c'est entendu. Eh bien ! garde-le pour toi, et que cela reste un secret entre nous.

Sur le carnet de notes, remis par Monsieur Père, et que Tistou devait faire signer à la fin de chaque leçon, le jardinier Moustache écrivit simplement :

Ce garçon présente de bonnes dispositions pour le jardinage.

Chapitre 7

Où l'on confie Tistou
à Monsieur Trounadisse,
qui lui donne
une leçon d'ordre

Sans doute le tempérament explosif de Monsieur Trounadisse lui venait-il d'une longue fréquentation des canons.

Monsieur Trounadisse était l'homme de confiance de Monsieur Père. Monsieur Trounadisse surveillait les nombreux employés de l'usine et les comptait chaque matin pour s'assurer qu'il n'en manquait aucun ; il regardait à l'intérieur des canons pour voir s'ils étaient bien droits ; il vérifiait le soir la fermeture des portes et souvent travaillait tard dans la nuit afin de contrôler l'alignement des chiffres dans les grands livres de comptes. Monsieur Trounadisse était un homme d'ordre.

Aussi Monsieur Père avait-il pensé à lui pour poursuivre dès le lendemain l'éducation de Tistou.

— Aujourd'hui, leçon de ville et leçon d'ordre ! cria Monsieur Trounadisse, debout dans le vestibule et comme s'il s'était adressé à un régiment.

Il convient de préciser que Monsieur Trounadisse avait été dans l'armée avant d'être dans les canons, et s'il n'avait pas inventé la poudre, au moins il savait s'en servir.

Tistou se laissa glisser le long de la rampe.

— Veuillez remonter, lui dit Monsieur Trounadisse, et descendre par les marches.

Tistou obéit, bien qu'il lui semblât inutile de remonter pour redescendre, puisqu'il était déjà en bas.

— Que portez-vous sur la tête ? demanda Monsieur Trounadisse.

— Une casquette à carreaux...

— Alors mettez-la droite.

N'allez pas croire que Monsieur Trounadisse était un méchant homme ; il avait seulement les oreilles très rouges, et pour un oui ou pour un non aimait à se fâcher.

« J'aurais préféré continuer mon éducation avec Moustache », se disait Tistou.

Et il se mit en route à côté de Monsieur Trounadisse.

— Une ville, commença Monsieur Trounadisse qui avait bien préparé la leçon, se compose, comme vous pouvez le voir, de rues, de monuments, de maisons et de gens qui habitent dans ces maisons. À votre avis, qu'est-ce qui est le plus important dans une ville ?

— Le jardin des plantes, répondit Tistou.

— Non, répliqua Monsieur Trounadisse, le plus important, dans une ville, c'est l'ordre. Nous allons donc visiter d'abord le monument où l'on maintient l'ordre. Sans ordre, une ville, un pays, une société, ne sont que du vent et ne peuvent durer. L'ordre est une chose indispensable et, pour conserver l'ordre, il faut punir le désordre !

« Certainement, Monsieur Trounadisse doit avoir raison, pensa Tistou. Mais pourquoi crie-t-il si fort ? Voilà une grande personne qui a une voix de trompette. Faut-il faire tant de bruit, à cause de l'ordre ? »

Dans les rues de Mirepoil, les passants se retournaient sur eux, et Tistou en était gêné.

— Tistou, ne vous laissez pas distraire. Qu'est-ce que l'ordre ? demanda Monsieur Trounadisse d'un ton sévère.

— L'ordre ? C'est quand on est content, dit Tistou.

Monsieur Trounadisse fit « Hum ! » et ses oreilles devinrent plus rouges qu'elles n'étaient d'habitude.

— J'ai remarqué, continua Tistou sans se laisser intimider, que mon poney Gymnastique, par exemple, lorsqu'il est bien bouchonné, bien peigné et qu'il a la crinière tressée de papier d'argent, est plus content que lorsqu'il est couvert de crotte. Et je sais aussi que le jardinier Moustache fait des sourires aux arbres lorsqu'ils sont bien taillés. Ce n'est pas de l'ordre, ça ?

Cette réponse ne parut guère satisfaire Monsieur Trounadisse dont les oreilles devinrent encore plus rouges.

— Et que fait-on des gens qui sèment le désordre ? demanda-t-il.

— Ils doivent être punis, sûrement, répondit Tistou, qui pensa que « semer le désordre c'était un peu comme « semer ses pantoufles » dans sa chambre ou « semer ses jouets » dans le jardin.

— On les met en prison, ici, déclara Monsieur Trounadisse en montrant à Tistou, d'un grand geste, un immense mur, tout gris, sans une fenêtre, un mur qui n'était pas normal.

— C'est ça, la prison ? dit Tistou.

— C'est cela, dit Monsieur Trounadisse. C'est le monument qui sert à maintenir l'ordre.

Ils longèrent le mur et parvinrent devant une haute grille noire, hérissée de pointes piquantes. Et derrière la grille noire, on voyait d'autres grilles noires, et derrière le mur triste, d'autres murs tristes. Et tous les murs et toutes les grilles étaient également surmontés de piquants.

— Pourquoi le maçon a-t-il mis ces vilains piquants partout ? demanda Tistou. À quoi cela sert-il ?

— À empêcher les prisonniers de s'évader.

— Si cette prison était moins laide, dit Tistou, ils auraient peut-être moins envie de s'en aller.

Les joues de Monsieur Trounadisse devinrent aussi rouges que ses oreilles.

« Étrange enfant, pensa-t-il. Toute son éducation est à faire. »

Et à haute voix, il ajouta :

— Tu devrais savoir qu'un prisonnier est un homme méchant.

— On le met donc là pour le guérir de sa méchanceté ? dit Tistou.

— On le met là pour l'empêcher de nuire aux autres hommes.

— Il guérirait sûrement plus vite si l'endroit était moins laid, dit encore Tistou.

« Ah ! il est têtu ! » pensa Monsieur Trounadisse.

Tistou aperçut, derrière les grilles, des prisonniers qui marchaient en rond, tête basse, sans prononcer un mot. Ils paraissaient affreusement malheureux, avec leur crâne rasé, leurs vêtements rayés et leurs grosses chaussures.

— Qu'est-ce qu'ils font là ?

— Ils sont en récréation, dit Monsieur Trounadisse.

« Eh bien, vrai ! pensa Tistou. Si c'est ça leur
récréation, comment doivent être leurs heures
de classe ! Vraiment cette prison était trop
triste. »

Il avait envie de pleurer, et ne prononça pas
un mot pendant tout le chemin du retour. Monsieur Trounadisse interpréta ce silence comme
un bon signe et pensa que la leçon d'ordre avait
porté ses fruits.

Néanmoins, il écrivit sur le carnet de notes de
Tistou :

*Cet enfant est à surveiller de près ; il se pose
trop de questions.*

Chapitre 8

Où Tistou
fait un rêve affreux,
et ce qu'il en résulte

Certes, Tistou se posait trop de questions ; il s'en posait même en dormant.

La nuit qui suivit la leçon d'ordre, il eut un épouvantable cauchemar. Bien sûr, les rêves ne sont que des rêves, et il ne faut pas leur accorder une importance exagérée. Mais on ne peut s'empêcher de rêver.

Or, Tistou, dans son sommeil, vit son poney Gymnastique entièrement rasé et qui marchait en rond entre de grands murs sombres. Et derrière lui les pur-sang groseille, la tête rasée eux aussi, habillés de costumes rayés, le pied lourd et traînard dans des bottines ridicules, tournaient, tournaient sans s'arrêter. Soudain le poney Gymnastique, regardant à droite et à gauche pour s'assurer qu'on ne le voyait pas, prit son élan, bondit afin de franchir la grille et retomba sur les grands piquants de fer. Planté là-haut, il battait l'air de ses quatre chaussures et hennissait lamentablement...

Tistou se réveilla en sursaut, le front moite, le cœur battant.

« Heureusement, ce n'était qu'un rêve, se dit-il bien vite. Gymnastique est à l'écurie, et les pur-sang aussi. »

Mais il ne parvint pas à se rendormir.

« Ce qui serait si triste pour des chevaux doit être encore pire pour des hommes, pensait-il. Pourquoi rendre aussi laids ces pauvres prisonniers ; ils n'en deviendront pas meilleurs. Je sais bien que moi si l'on m'enfermait là, même sans avoir rien fait de mal, je finirais sûrement par être très méchant. Que pourrait-on faire pour qu'ils soient moins malheureux ? »

Il entendit sonner onze heures, puis minuit,

au clocher de Mirepoil. Il continuait de se poser des questions.

Et soudain, une petite idée lui gratta le fond de la tête.

« Et si on leur faisait pousser des fleurs, à ces gens-là ? Cela rendrait l'ordre moins laid et les prisonniers deviendraient peut-être plus sages. Si j'essayais mes pouces verts ? J'en parlerai à Monsieur Trounadisse... »

Mais il pensa aussitôt que Monsieur Trounadisse deviendrait tout rouge. Et il se rappela le conseil de Moustache : ne pas parler de ses pouces verts.

« Il faut que je fasse cela tout seul, sans qu'on le sache. »

Une idée qui s'installe dans la tête devient résolution. Une résolution ne laisse l'âme en paix que lorsqu'on l'a accomplie. Tistou sentit qu'il ne pourrait pas se rendormir avant d'avoir mis son projet à exécution.

Il sortit de son lit, chercha ses pantoufles ; l'une s'était cachée sous la commode, et l'autre... l'autre ?... l'autre se moquait de lui, pendue à la poignée de la fenêtre. Voilà ce que c'est, de lancer ses pantoufles en l'air !

Tistou se glissa hors de la chambre ; les gros tapis étouffaient ses pas. Doucement, il gagna la rampe, se laissa glisser sur le ventre.

Dehors, la lune était pleine. Elle avait gonflé ses deux joues avec de l'air tout neuf.

La lune est plutôt favorable aux gens qui se promènent la nuit. À peine aperçut-elle Tistou, dans sa longue chemise blanche, au milieu de la pelouse, qu'elle se donna vite un grand coup de polissoir en se servant d'un nuage qui se trouvait à portée de sa main.

« Si je ne veille pas sur ce garçon-là, se dit-elle, il ira finir le nez dans un fossé. »

Elle reparut, plus brillante que jamais, et elle adressa même un message à toutes les étoiles de la Voie lactée, afin qu'elles envoient leurs meilleurs rayons.

Ainsi, protégé par la lune et par les étoiles, Tistou, moitié marchant, moitié courant par les rues désertes, arriva sans encombre jusqu'à la prison.

Il n'était pas bien tranquille, on le comprend. C'était sa première expérience.

« Pourvu que mes pouces verts fonctionnent

bien ! Pourvu que Moustache ne se soit pas trompé ! »

Tistou appliqua ses pouces partout où il put, par terre, à l'endroit où le mur s'enfonçait dans le trottoir, et dans les trous entre les pierres, et au pied de chaque barreau de grille. Il travailla très consciencieusement. Il n'oublia pas les serrures de la porte d'entrée, ni même la guérite où dormait un gendarme.

Et quand il eut fini, il rentra chez lui, et cette fois s'endormit sans difficulté.

Le valet eut même toutes les peines du monde, le lendemain matin, à le réveiller.

— Tisti, voyons, il fi grrand sôl ille !

Le valet Carolus, nous croyons vous l'avoir déjà dit, parlait avec un léger accent étranger.

Tistou avait une question sur le bout de la langue, mais il n'osa pas la poser. Il n'eut toutefois pas longtemps à attendre pour connaître le résultat de son entreprise.

Car la prison... Ah ! là, là ! Un coup de canon tiré par Monsieur Trounadisse sur la grand-place de Mirepoil n'aurait pas fait plus de bruit. Imaginez l'effarement de toute une cité devant un pareil prodige ! Imaginez la stupeur des

Miropoilus (ainsi se nomment les habitants de Mirepoil) en découvrant leur prison transformée en château de fleurs, en palais des merveilles !

Avant dix heures, la ville entière était au courant de la fabuleuse nouvelle. À midi, toute la population se tenait assemblée devant le grand mur couvert de roses et les grilles changées en charmilles.

Pas une fenêtre de la prison, pas un barreau qui n'eût reçu sa part de fleurs ! Les tiges grimpaient, s'enroulaient, retombaient ; des cactus, sur la crête des murs, remplaçaient partout les affreux piquants.

Le plus curieux était peut-être la guérite où le chèvrefeuille avait poussé si vite que le gendarme de garde s'y trouvait immobilisé. Les plantes avaient pris son fusil pour tuteur et bloqué l'entrée. La foule, ébahie, contemplait ce gendarme qui, pacifique et résigné, fumait sa pipe à l'abri d'une tonnelle.

Personne ne pouvait s'expliquer ce miracle, personne... sauf, bien entendu, le jardinier Moustache, qui vint voir, lui aussi, et repartit sans rien dire.

Mais l'après-midi, lorsque Tistou, ayant remis

son chapeau de paille, s'avança vers lui pour prendre sa deuxième leçon de jardin, Moustache l'accueillit par ces mots :

— Ah ! te voilà, toi ! Pas mal, pas mal, le coup de la prison. Pour un début, c'est un joli début.

Tistou se sentit un peu gêné.

— Sans vous, Monsieur Moustache, je n'aurais jamais su que j'avais les pouces verts, dit Tistou en manière de remerciement.

Mais Moustache n'aimait guère les effusions.

— C'est bon, c'est bon, répondit-il. Mais tu as abusé du chèvrefeuille. Et puis fais attention à l'aristoloche. C'est un grimpant qui fournit bien, mais sa feuille est sombre. La prochaine fois, force un peu sur le volubilis ; ça mettra une note de gaieté.

Ainsi Moustache devint le conseiller secret de Tistou.

Chapitre 9

Où les savants
ne découvrent rien,
mais où Tistou, lui,
fait une découverte

Les grandes personnes ont la manie de vouloir
à toute force expliquer l'inexplicable.

Tout ce qui les surprend les agace, et, dès qu'il
se produit dans le monde quelque chose de nouveau, elles s'acharnent à vouloir démontrer que
cette chose nouvelle ressemble à une autre
qu'elles connaissaient déjà.

Qu'un volcan s'éteigne paisiblement, comme
une cigarette à bout de course, et voilà aussitôt
une douzaine de savants à lunettes qui se

penchent au-dessus du cratère, écoutent, reniflent, se font descendre par des cordes, s'écorchent les genoux, remontent, enferment de l'air dans des tubes, font des dessins, écrivent des livres, se disputent, au lieu de constater simplement : « Ce volcan-là s'est arrêté de fumer ; il doit avoir le nez bouché. »

Sont-ils jamais arrivés, au bout du compte, à nous dire comment les volcans fonctionnent ?

Le mystère de la prison de Mirepoil fournissait aux grandes personnes une bonne occasion de s'agiter. Les journalistes et les photographes arrivèrent les premiers, parce que c'est leur métier, et ils occupèrent immédiatement toutes les chambres de l'hôtel du Petit-Saint-Jean et des Ambassadeurs qui était le seul de la ville.

Puis accoururent d'un peu partout, en train, en avion, en taxi, et même certains à bicyclette, les savants qu'on appelle botanistes et qui s'occupent de couper les fleurs en quatre, de leur donner des noms difficiles, de les faire sécher sur du papier buvard et de voir en combien de temps elles perdent leurs couleurs.

Leur métier exige beaucoup d'études.

Quand des botanistes se rassemblent ils

forment un congrès. Il y avait donc à Mirepoil un congrès de botanistes. S'il existe une infinie variété de fleurs, en revanche on ne connaît que trois sortes de botanistes : les botanistes distingués, les botanistes réputés, et les éminents botanistes. Ils se saluent en s'appelant : « Maître... Monsieur le Professeur... Mon honoré confrère... »

Comme l'hôtel était rempli par les journalistes qui refusaient d'en bouger, on fut obligé, pour loger les botanistes, de leur installer un camping sur la grand-place. On aurait cru un cirque, mais c'était moins amusant.

Tistou vivait dans l'anxiété.

— Si l'on découvre que c'est moi, confia-t-il à Moustache, ça va en faire une histoire !

— Ne t'inquiète pas, répondit le jardinier ; ce sont des gens qui ne savent même pas faire un bouquet. Ils ne découvriront rien, j'en mettrais mes moustaches à couper !

Et, en effet, au bout d'une semaine pendant laquelle, une loupe en main, ils examinèrent chaque fleur et chaque feuille, les savants n'étaient pas plus avancés. Les fleurs de la prison étaient des fleurs comme toutes les autres, il fallait bien le reconnaître ; leur seule étrangeté était d'avoir poussé en une nuit. Alors les savants commencèrent à se disputer, à s'accuser les uns les autres de mensonge, d'ignorance et de mystification. Et cette fois leur camping ressemblait tout à fait à un cirque.

Mais un congrès doit toujours se terminer par une déclaration. Les botanistes finirent donc par en rédiger une, pleine de mots latins, pour que personne n'y puisse rien comprendre ; ils parlèrent de conditions atmosphériques particulières, de petits oiseaux qui auraient laissé choir les graines et d'une fertilité exceptionnelle des murs de la prison due à un certain usage qu'en faisaient les chiens de Mirepoil. Puis ils s'en allèrent dans un autre pays où l'on avait découvert une cerise sans noyau, et Tistou retrouva la tranquillité.

Et les prisonniers, dans tout cela ? Vous avez certainement envie de connaître ce que pensaient les prisonniers.

Sachez donc que la surprise des botanistes, leur agitation, leur émoi, ne furent rien auprès de l'émerveillement des prisonniers.

Comme ils ne voyaient plus de barreaux

devant leurs cellules, plus de barbelés ni de piquants aux murs, ils oublièrent de s'évader. Les plus grincheux cessèrent de récriminer, tant ils avaient plaisir à contempler ce qui les entourait ; les méchants perdirent l'habitude de se fâcher et de se battre. Le chèvrefeuille qui poussait dans les serrures empêchait de fermer les portes, mais les libérés eux-mêmes refusèrent de s'en aller ; ils avaient pris goût au jardinage.

Et la prison de Mirepoil fut citée en exemple dans le monde entier.

Qui se réjouissait le plus ? C'était Tistou. Il triomphait en secret.

Mais le secret est fatigant à garder.

Lorsqu'on est heureux, on a envie de le dire et même de le crier. Or, Moustache n'avait pas toujours le temps d'écouter les confidences de Tistou. Ainsi Tistou prit l'habitude, quand le secret l'étouffait un peu, de parler au poney Gymnastique.

Les oreilles de Gymnastique étaient doublées d'une jolie fourrure beige, très douce et très agréable aux lèvres. Tistou, en passant, y glissait volontiers quelques mots.

— Gymnastique, écoute-moi bien et ne le

répète à personne, dit Tistou un matin qu'il rencontra le poney dans la prairie.

Gymnastique remua l'oreille.

— J'ai découvert quelque chose d'extraordinaire ! reprit Tistou. Les fleurs empêchent le mal de passer.

Chapitre 10

Où Tistou retrouve Monsieur Trounadisse qui lui donne une leçon de misère

Il faut des événements extraordinaires pour que l'on donne vacances aux petits garçons. Une prison qui fleurit provoque, certes, une vive émotion, mais on s'en remet assez vite, et l'on finit par trouver naturel que pousse un gigantesque massif là où naguère s'élevait un mur gris.

On s'habitue à tout, même à l'exceptionnel.

Pour Monsieur Père et Madame Mère, l'éducation de Tistou redevint bientôt le principal souci.

— Je crois qu'il serait bon maintenant de lui montrer un peu ce qu'est la misère, disait Monsieur Père.

— Ensuite, on devrait lui enseigner ce qu'est la maladie, pour qu'il prenne bien garde à sa santé, disait Madame Mère.

— Monsieur Trounadisse lui avait donné une très belle leçon d'ordre ; confions-lui aussi la leçon de misère.

C'est ainsi que Tistou apprit dès le lendemain, sous la conduite de Monsieur Trounadisse, que la misère vivait dans des taudis.

On avait conseillé à Tistou de mettre pour cette visite son vieux béret bleu.

Monsieur Trounadisse emboucha sa plus forte voix de trompette afin d'expliquer à Tistou que les taudis se trouvaient en bordure de la ville.

— Cette zone des taudis est un fléau, déclara-t-il.

— Qu'est-ce que c'est qu'un fléau ? demanda Tistou.

— Un fléau est un mal qui atteint beaucoup de gens, un très grand mal.

Monsieur Trounadisse n'avait pas besoin d'en prononcer davantage. Tistou se frottait déjà les pouces.

Mais ce qui l'attendait était pire à voir qu'une prison. Des chemins étroits, boueux, malodorants, se tortillaient entre des planches pourries assemblées tout de travers. Ces planches faisaient semblant de former des cabanes, mais des cabanes si trouées, si branlantes au moindre vent, que l'on avait peine à croire qu'elles pussent tenir debout. Les portes étaient rapiécées, ici avec du carton, là avec un vieux morceau de boîte à conserves.

À côté de la ville propre, de la ville riche construite en pierre et balayée tous les matins, la zone des taudis était comme une autre ville, hideuse, et qui faisait honte à la première. Ici pas de réverbères, pas de trottoirs, pas de boutiques, pas d'arroseuse municipale.

« Un peu de gazon boirait la boue et rendrait ces chemins plus agréables, et puis du volubilis en quantité, avec des clématites, renforcerait ces pauvres cabanes prêtes à s'écrouler », pensait

Tistou qui, les pouces en avant, tâtait toutes les laideurs qu'il rencontrait.

Dans ces cabanes vivaient plus de gens qu'elles n'en pouvaient contenir ; ces gens, forcément, avaient mauvaise mine. « À vivre serrés les uns contre les autres, et sans lumière, ils deviennent pâles... comme les endives que Moustache fait pousser dans la cave. Moi je ne serais pas heureux si l'on me traitait comme une endive. »

Tistou décida de faire croître des géraniums le long des lucarnes pour que les enfants des taudis voient un peu de couleur.

— Mais pourquoi tous ces gens-là logent-ils dans des cabanes à lapins ? demanda-t-il soudain.

— Parce qu'ils n'ont pas d'autre maison, évidemment ; c'est une question stupide, répondit Monsieur Trounadisse.

— Et pourquoi n'ont-ils pas de maison ?

— Parce qu'ils n'ont pas de travail.

— Pourquoi n'ont-ils pas de travail ?

— Parce qu'ils n'ont pas de chance.

— Alors, ils n'ont rien du tout ?

— C'est cela, Tistou, la misère.

« Demain, au moins, ils auront quelques fleurs », se dit Tistou.

Il vit un homme battre une femme, et un enfant s'enfuir en pleurant.

— Est-ce que la misère rend méchant ? dit Tistou.

— Souvent, répondit Monsieur Trounadisse, qui se mit à lancer une fanfare de mots effrayants.

D'après son discours, la misère semblait être une horrible poule noire, à l'œil furieux, au bec crochu, aux ailes aussi larges que le monde et qui couvait sans cesse d'affreux poussins. Monsieur Trounadisse les connaissait tous par leur nom : il y avait le poussin-vol, grand détrousseur de porte-monnaie et perceur de coffres-forts ; le poussin-ivrognerie qui se faisait offrir des apéritifs et roulait dans les ruisseaux ; le poussin-vice, toujours prêt aux choses malhonnêtes ; le poussin-crime, armé d'un couteau ou d'un revolver ; le poussin-révolution, sûrement le pire de la couvée... Il était évident que tous ces poussins-là devaient finir en prison.

— Tistou ! Vous ne m'écoutez pas, s'écria Monsieur Trounadisse. D'abord cessez de poser vos mains sur ces saletés ! Qu'est-ce que c'est que cette manie de toucher à tout ? Mettez donc vos gants.

— Je les ai oubliés, dit Tistou.

— Reprenons notre leçon. Que faut-il pour lutter contre la misère et ses funestes conséquences ?... Réfléchissez un peu... Il faut... de l'o... de l'o... de l'or...

— Ah ! oui, fit Tistou, il faut peut-être de l'or.

— Non, il faut de *l'ordre !*

Tistou resta silencieux un instant. Il ne paraissait pas convaincu. Et lorsqu'il eut fini de réfléchir, il dit :

— Votre ordre, Monsieur Trounadisse, êtes-vous bien sûr qu'il existe ? Moi, je ne crois pas.

Les oreilles de Monsieur Trounadisse devinrent si rouges, si rouges, qu'elles ne ressemblaient plus à des oreilles mais à des tomates.

— Parce que si l'ordre existait, reprit Tistou avec une grande fermeté dans la voix, il n'y aurait pas de misère.

La note que reçut Tistou ce jour-là ne fut pas excellente. Monsieur Trounadisse écrivit dans le carnet : *Enfant distrait et raisonneur. Ses senti-ments généreux lui ôtent le sens des réalités.*

Mais le lendemain... Vous avez déjà deviné. Le lendemain, les journaux de Mirepoil annon-çaient une véritable inondation de volubilis. Les conseils de Moustache avaient été suivis à la lettre.

Des arceaux couleur de ciel voilaient la lai-deur des cabanes, des barrières de géraniums bordaient les chemins de gazon. Ces quartiers déshérités, dont on évitait de s'approcher parce qu'ils faisaient horreur à regarder, devinrent les plus beaux de la ville. On alla les visiter comme un musée.

Les habitants décidèrent d'en tirer quelques profits. Ils mirent un tourniquet et firent payer l'entrée. Des métiers se créèrent ; il fallut des gardiens, des guides, des vendeurs de cartes pos-tales, des photographes.

Ce fut la fortune.

Pour employer cette fortune, on décida de bâtir, au milieu des arbres, un grand immeuble de neuf cent quatre-vingt-dix-neuf beaux appar-tements, avec cuisines électriques, où tous les anciens locataires des taudis pourraient se loger à l'aise. Et comme il fallait beaucoup de monde pour le construire, tous les sans-travail reçurent du travail.

Moustache ne manqua pas à la première occasion de féliciter Tistou.

— Ah ! te voilà ! Très fort, très bien, la transformation des taudis. Mais ton quartier manque un peu de parfum. La prochaine fois, pense au jasmin. Ça grimpe vite et ça sent bon.

Tistou promit de faire mieux la prochaine fois.

Chapitre 11

Où Tistou décide d'aider le docteur Mauxdivers

C'est en visitant l'hôpital que Tistou fit la connaissance de la petite fille malade.

L'hôpital de Mirepoil, grâce à la générosité de Monsieur Père, était un très bel hôpital, très grand, très propre et pourvu de tout ce qu'il fallait pour soigner les maladies. De larges fenêtres laissaient entrer le soleil ; les murs étaient blancs et brillants. Tistou ne trouva pas que l'hôpital était laid, pas du tout. Et pourtant il sentit...

comment expliquer cela ?... il sentit qu'il s'y cachait quelque chose de triste.

Le docteur Mauxdivers, qui dirigeait l'hôpital, était un homme très savant et très bon, cela se voyait au premier regard. Tistou trouva qu'il ressemblait un peu au jardinier Moustache, un Moustache qui n'aurait pas eu de moustaches et qui aurait porté de grosses lunettes d'écaille. Tistou le lui dit.

— Cette ressemblance vient sans doute, répondit le docteur Mauxdivers, de ce que

Moustache et moi nous nous occupons l'un et l'autre de soigner la vie. Moustache soigne la vie des fleurs et moi je soigne la vie des gens.

Mais soigner la vie des gens était beaucoup plus difficile ; Tistou le comprit vite en écoutant le docteur Mauxdivers. Être médecin, c'était livrer sans cesse une bataille. D'un côté il y avait la maladie, toujours prête à entrer dans le corps des gens, et de l'autre la bonne santé, toujours prête à s'en aller. En plus il y avait mille sortes de maladies et une seule bonne santé. La maladie se mettait toute espèce de masques pour qu'on ne la reconnaisse pas ; un vrai Mardi gras. Il fallait la déceler, la décourager, la chasser et en même temps attirer la bonne santé, la tenir serrée, l'empêcher de s'enfuir.

— Tu as déjà été malade, Tistou ? demanda le docteur Mauxdivers.

— Non, jamais.

— Vraiment ?

Et en effet le docteur se rappela qu'on ne l'avait jamais appelé pour Tistou. Madame Mère avait souvent des migraines ; Monsieur Père souffrait quelquefois de l'estomac. Le valet Carolus l'autre hiver avait eu une bronchite. Tistou, rien. Voilà un enfant qui depuis sa naissance n'avait pas connu la moindre varicelle, la moindre angine, le moindre rhume ! Un cas très rare de bonne santé, un cas exceptionnel.

— Je vous remercie beaucoup de me donner cette leçon, docteur, elle m'intéresse bien, dit Tistou.

Le docteur Mauxdivers montra à Tistou la salle où l'on préparait les petites pilules roses contre la toux, la pommade jaune contre les boutons, les poudres blanches contre la fièvre. Il lui montra la salle où l'on peut regarder à travers le corps de quelqu'un, comme à travers une fenêtre, pour voir où la maladie se cache, et aussi la salle, avec des miroirs au plafond, où l'on guérit l'appendicite et tant de choses qui menacent la vie.

« Puisque ici l'on empêche le mal de passer, tout devrait sembler gai et heureux, se disait Tistou. Où se cache donc cette tristesse que je sens ?... »

Le docteur ouvrit la porte de la chambre qu'occupait la petite fille malade.

— Je te laisse, Tistou, tu viendras me retrou-

ver tout à l'heure dans mon bureau, dit le docteur Mauxdivers.

Tistou entra.

— Bonjour, dit-il à la petite fille malade.

Elle lui parut très jolie, mais bien pâle. Ses
cheveux se déroulaient, noirs, sur l'oreiller. Elle
avait à peu près le même âge que Tistou.

— Bonjour, répondit-elle poliment, sans
bouger la tête.

Elle regardait fixement le plafond.

Tistou s'assit auprès du lit, son chapeau blanc
sur les genoux.

— Le docteur Mauxdivers m'a dit que tes

jambes ne marchaient pas. Vont-elles mieux depuis que tu es ici ?

— Non, répondit la petite fille toujours aussi poliment ; mais cela n'a pas d'importance.

— Pourquoi ? demanda Tistou.

— Parce que je n'ai nulle part où aller.

— Moi, j'ai un jardin, dit Tistou pour dire quelque chose.

— Tu as de la chance. Si j'avais un jardin, peut-être aurais-je envie de guérir pour aller m'y promener.

Tistou aussitôt regarda ses pouces. « S'il n'y a que cela pour lui faire plaisir... »

Il demanda encore :

— Tu ne t'ennuies pas trop ?

— Pas trop. Je regarde le plafond. Je compte les petites fentes qu'il y a dedans.

« Des fleurs, ce serait mieux », pensa Tistou. Et il se mit à appeler intérieurement : « Coquelicots, coquelicots !... Boutons d'or, pâquerettes, jonquilles ! »

Les graines entrèrent sans doute par la fenêtre, à moins que Tistou ne les ait apportées sous ses chaussures.

— Tu n'es pas malheureuse, au moins ?

— Pour savoir si on est malheureux, répondit la petite fille, il faut avoir été heureux. Moi je suis née malade.

Tistou comprit que la tristesse de l'hôpital se cachait dans cette chambre, dans la tête de cette petite fille. Il en devenait tout triste lui-même.

— Tu reçois des visites ?

— Beaucoup. Le matin, avant le petit déjeuner, je vois la sœur-thermomètre. Et puis le docteur Mauxdivers vient ; il est très gentil, il me parle très doucement et il me donne un berlingot. À l'heure du déjeuner, c'est le tour de la sœur-pilules ; puis, avec mon goûter, je vois entrer la sœur-aux-piqûres-qui-font-mal. Et après vient un monsieur en blanc qui prétend que mes jambes vont mieux. Il les attache avec des ficelles pour les faire bouger. Tous, ils disent que je vais guérir. Mais moi je regarde le plafond ; lui, au moins, il ne me raconte pas de mensonges.

Tandis qu'elle parlait, Tistou s'était levé et s'affairait autour du lit.

« Pour que cette petite fille guérisse, il faut qu'elle ait envie de voir un lendemain, c'est clair, songeait-il. Une fleur, avec sa manière de se

déplier, de ménager des surprises, pourrait sûrement l'aider. Une fleur qui pousse, c'est une
vraie devinette, qui recommence tous les matins.
Un jour elle entrouvre un bouton, le jour d'après
elle défroisse une feuille verte comme une petite
grenouille, et puis après elle déroule un pétale...
À attendre chaque jour la surprise, cette petite
fille oubliera peut-être sa maladie...

Les pouces de Tistou ne chômaient pas.

— Moi, je crois que tu vas guérir, dit-il.

— Toi aussi tu le crois ?

— Oui, oui, je t'assure. Au revoir.

— Au revoir, répondit la petite fille malade.
Tu as bien de la chance d'avoir un jardin.

Le docteur Mauxdivers attendait Tistou derrière son grand bureau nickelé, encombré de
gros livres.

— Alors, Tistou, demanda-t-il, qu'as-tu
appris aujourd'hui ? Que sais-tu de la méde-
cine ?

— J'ai appris, répondit Tistou, que la méde-
cine ne peut pas grand-chose contre un cœur
triste. J'ai appris que pour guérir il faut avoir
envie de vivre. Docteur, est-ce qu'il n'y a pas de
pilules pour donner de l'espoir ?

Le docteur Mauxdivers fut étonné de trouver tant de sagesse chez un si petit garçon.

— Tu as appris tout seul, dit-il, la première chose que doit savoir un médecin.

— Et la seconde, docteur ?

— C'est que pour bien soigner les hommes, il faut les aimer beaucoup.

Il donna toute une poignée de berlingots à Tistou et mit une bonne note sur son carnet.

Mais le docteur Mauxdivers fut encore bien plus étonné le lendemain, lorsqu'il entra dans la chambre de la petite fille.

Celle-ci souriait ; elle s'était réveillée en plein champ.

Des narcisses poussaient autour de la table de nuit ; la couverture était devenue un édredon de pervenches ; de la folle avoine moussait sur la carpette. Et puis la fleur, la fleur à laquelle Tistou avait donné tous ses soins, une rose merveilleuse, qui ne cessait de se transformer, d'épanouir une feuille ou un bourgeon, la fleur montait à la tête du lit, le long de l'oreiller. La petite fille ne regardait plus le plafond ; elle contemplait la fleur.

Le soir même, ses jambes commencèrent à remuer. La vie lui plaisait.

Chapitre 12

Où le nom
de Mirepoil s'allonge

Vous pensez peut-être que les grandes personnes commençaient à se douter de quelque
chose, et qu'elles faisaient ce raisonnement
simple : « C'est toujours dans les lieux où Tistou est passé la veille que les fleurs mystérieuses
apparaissent. Donc ce doit être Tistou ; sur-
veillons-le. »

Mais vous pensez ainsi parce que vous savez
que Tistou avait les pouces verts. Les grandes
personnes, je vous l'ai déjà dit, ont des idées

toutes faites et n'imaginent presque jamais qu'il puisse exister autre chose que ce qu'elles savent déjà.

De temps en temps survient un monsieur qui révèle un morceau d'inconnu ; on commence toujours par lui rire au nez ; quelquefois même on le jette en prison parce qu'il dérange l'ordre de Monsieur Trounadisse, et puis, quand on s'est aperçu, après qu'il est mort, qu'il avait raison, on lui élève une statue. C'est ce qu'on appelle un génie.

Il n'y avait à Mirepoil, cette année-là, aucun génie pour expliquer l'inexplicable. Et le conseil municipal se trouvait dans le plus grand désarroi.

Le conseil municipal, c'est un peu comme la femme de ménage d'une ville. À lui de veiller à la propreté des trottoirs, à lui de désigner l'endroit où peuvent jouer les enfants, celui où les mendiants doivent mendier, et de savoir où il faut ranger le soir les autobus. Pas de désordre, surtout pas de désordre.

Mais le désordre s'installait à Mirepoil. Il n'était plus possible de prévoir, d'un jour sur l'autre, où se trouverait un square ou un jardin.

Les fleurs envahissaient tous les monuments publics. Si un conseil municipal s'inclinait devant de telles fantaisies, une ville cesserait d'être une ville.

— Non, non, et non ! criaient les conseillers municipaux de Mirepoil réunis en séance extra-ordinaire.

On parlait déjà de faire arracher toutes les fleurs.

Monsieur Père intervint. Monsieur Père était très écouté au conseil. Il se montra, une nouvelle fois, un homme aux décisions rapides et éner-giques.

— Messieurs, dit-il, vous avez tort de vous fâcher. D'ailleurs, il est toujours dangereux de se fâcher contre ce que l'on ne comprend pas. Per-sonne de nous ne connaît la raison de ces brusques floraisons. Arracher les fleurs ? Vous ignorez demain où elles repousseront. D'autre part, il faut reconnaître que ces floraisons nous sont plus utiles qu'elles ne nous gênent. Aucun prisonnier ne s'échappe plus. Le quartier des taudis est devenu prospère. Tous les enfants de l'hôpital guérissent. Pourquoi s'irriter ? Mettons les fleurs dans notre jeu, et faisons en sorte d'aller au-devant des événements au lieu de rester à leur remorque.

— Oui, oui, et oui ! s'écrièrent les conseillers. Mais comment nous y prendre ?

Monsieur Père poursuivit son discours.

— Je vous propose une solution hardie. Il faut modifier le nom de notre ville, et l'appeler désormais Mirepoil-les-Fleurs. Avec un nom pareil, qui pourrait s'étonner de ce que les fleurs y poussent partout ? Et si demain le clocher de l'église se transforme en bouquet de lilas, nous aurons l'air d'avoir prévu depuis longtemps cet embellissement dans notre plan de grands travaux.

— Hourra, hourra, hourra ! hurlèrent les conseillers en saluant Monsieur Père d'applaudissements unanimes.

Ainsi le lendemain, car il fallait faire vite, les conseillers municipaux au grand complet, précédés de l'orphéon, des orphelins conduits par deux prêtres en costume des dimanches, d'une délégation de grands-pères qui représentaient la sagesse, du docteur Mauxdivers qui représentait la science, d'un juge qui représentait la loi, de deux professeurs au collège qui représentaient

la littérature et d'un permissionnaire en uniforme qui représentait l'armée, s'organisèrent en
imposant cortège. Ils allèrent jusqu'à la gare. Là,
sous les acclamations d'une foule en liesse, ils
inaugurèrent la nouvelle pancarte, où l'on pouvait lire en lettres d'or :

MIREPOIL-LES-FLEURS

Ce fut un grand jour.

Chapitre 13

Où l'on cherche
à distraire Tistou

Madame Mère se faisait encore plus de souci que les conseillers municipaux, mais pour d'autres raisons. Son Tistou n'était plus le même.

Le système d'éducation imaginé par Monsieur Père le rendait étrangement sérieux ; il restait silencieux des heures entières.

— À quoi penses-tu donc, Tistou ? lui demanda un jour Madame Mère.

Tistou répondit :

— Je pense que le monde pourrait être tellement mieux qu'il n'est.

Madame Mère prit une figure fâchée.

— Ce ne sont pas des idées de ton âge, Tistou. Va donc jouer avec Gymnastique.

— Gymnastique pense comme moi, dit Tistou.

Cette fois, Madame Mère se fâcha.

— C'est un comble ! s'écria-t-elle. Voilà que
les enfants prennent l'avis des poneys, maintenant !

Et elle en parla à Monsieur Père, qui
considéra que Tistou avait besoin de distrac-
tions.

— Le poney, le poney, c'est très bien, mais il
ne faut pas qu'il voie toujours les mêmes animaux. Envoyons-le visiter le zoo.

Mais là encore Tistou eut une mauvaise surprise.

Il s'était imaginé le zoo comme un lieu
féerique où les animaux s'offraient de leur
plein gré à l'admiration des visiteurs, une
sorte de paradis des bêtes où le boa faisait sa
culture physique autour de la jambe de la
girafe, où le kangourou mettait un petit ours

dans sa poche pour l'emmener en promenade... Il pensait que jaguars, buffles, rhino-
céros, tapirs, oiseaux-lyres, perroquets et
sapajous s'ébattaient parmi toute espèce
d'arbres et de plantes merveilleuses, tels
qu'ils sont peints sur les livres d'images.

Au lieu de cela, il ne vit au zoo que des
cages où des lions pelés dormaient tristement
devant des écuelles vides, où les tigres étaient
enfermés avec les tigres, et les singes avec les
singes. Il essaya de réconforter une panthère
qui tournait en rond derrière ses barreaux et
voulut lui offrir une brioche. Un jardinier
l'en empêcha.

— Interdit, jeune homme, restez en arrière.
Ce sont des animaux féroces, cria le gardien fort
en colère.

— D'où viennent-ils ? demanda Tistou.

— De très loin. D'Afrique, d'Asie, je ne sais
d'où !

— On leur a demandé leur permission avant
de les amener ici ?

Le gardien haussa les épaules, et s'éloigna, en
grommelant qu'on se moquait de lui.

Mais Tistou, lui, réfléchissait. Il se disait

d'abord que le gardien n'aurait pas dû faire ce métier-là, puisqu'il n'aimait pas les animaux qu'il soignait. Il pensait aussi que les animaux avaient dû transporter dans leur pelage quelques graines de leur pays, et les répandre autour d'eux...

Aucun gardien de zoo ne songe à empêcher un petit garçon de poser ses pouces par terre, devant chaque cage. Les gardiens croient simplement que ce petit garçon-là aime se traîner dans la poussière.

C'est pourquoi quelques jours plus tard, un immense baobab s'élevait dans la cage aux lions, les singes s'élançaient de liane en liane, des nénuphars s'éployaient dans la baignoire du crocodile. L'ours avait son sapin, le kangourou sa savane ; les hérons et les flamants roses marchaient parmi les roseaux et les oiseaux de toutes couleurs chantaient parmi les buissons de jasmin géant. Le zoo de Mirepoil était devenu le plus beau du monde, et les conseillers municipaux se hâtèrent d'en avertir les agences de tourisme.

— Alors, maintenant tu travailles même dans la végétation tropicale ? Très fort, mon garçon, tu es décidément très fort, dit Moustache à Tistou la première fois qu'il le vit.

— C'est tout ce que j'ai pu faire pour ces pauvres animaux féroces, qui s'ennuyaient si fort loin de chez eux, répondit Tistou.

Chapitre 14

Où Tistou,
à propos de la guerre,
se pose
de nouvelles questions

Quand les grandes personnes parlent à voix haute, il arrive que les petits garçons ne les écoutent pas.

— Tu m'entends, Tistou ?

Et Tistou de répondre « oui, oui », avec la tête, pour paraître obéissant, alors qu'il n'a fait aucune attention.

Mais dès que les grandes personnes commencent à baisser la voix et à se confier des secrets, les petits garçons aussitôt tendent

l'oreille et cherchent à comprendre justement ce qu'on ne voulait pas leur dire.

En cela ils sont tous les mêmes, et Tistou ne faisait pas exception.

Depuis quelques jours, on chuchotait beaucoup à Mirepoil. Il y avait du secret dans l'air, et jusque dans les tapis de la Maison-qui-brille.

Monsieur Père, Madame Mère poussaient de longs soupirs en lisant les journaux. Le valet Carolus et Madame Amélie, la cuisinière, murmuraient autour de la machine à laver. Et même Monsieur Trounadisse semblait avoir perdu sa voix de trompette.

Tistou saisissait au vol des mots qui avaient mauvaise mine.

— Tension..., disait Monsieur Père d'un ton grave.

— Crise..., répondait Madame Mère.

— Aggravation, aggravation..., ajoutait Monsieur Trounadisse.

Tistou crut qu'on parlait d'une maladie ; il se fit beaucoup de souci et partit, les pouces en avant, pour découvrir qui était malade dans la maison.

Un tour de jardin lui prouva qu'il se trompait ; Moustache se portait à merveille, les pur-sang groseille gambadaient dans la prairie, Gymnastique présentait les signes de la meilleure santé.

Mais le lendemain un autre mot était sur toutes les lèvres.

— Guerre... c'était inévitable, disait Monsieur Père.

— Guerre... les pauvres gens ! faisait Madame Mère en balançant la tête d'un air désolé.

— Guerre... et voilà ! une de plus, remarqua Monsieur Trounadisse. Reste à savoir qui va la gagner.

— Guerre... Quelle pitié ! Ça ne finira donc jamais ! gémissait Madame Amélie, prête à pleurer.

— Guirre... guirre... toujours li guirre, répétait le valet Carolus qui avait... oui vous le savez, un léger accent étranger.

L'idée que Tistou se fit de la guerre fut celle d'une chose pas propre puisqu'on n'en parlait qu'à voix basse, une chose laide, une maladie des grandes personnes pire que l'ivrognerie, plus cruelle que la misère, plus dangereuse que le crime. Déjà Monsieur Trounadisse lui avait un peu parlé de la guerre, en lui montrant le monument aux morts de Mirepoil. Mais comme Monsieur Trounadisse avait parlé trop fort, Tistou n'avait pas très bien compris.

Tistou n'avait pas peur. Ce garçon-là était le contraire d'un poltron ; on pouvait même le juger imprudent. Vous avez déjà vu comme il se laissait glisser le long de la rampe. Lorsqu'on allait se baigner à la rivière, il fallait l'empêcher de se jeter dix fois de suite du haut du plongeoir des champions. Il prenait son élan, et, hop ! le voilà en l'air, les bras écartés, faisant le saut de l'ange. Il grimpait aux arbres comme personne, jusque sur les dernières branches, pour aller cueillir les cerises que nulle autre main ne pouvait atteindre. Il ignorait le vertige. Non, vraiment, Tistou n'était pas peureux.

Mais l'idée qu'il se faisait de la guerre n'avait rien à voir avec le courage ou la peur ; c'était une idée insupportable, voilà tout.

Il voulut se renseigner. La guerre était-elle une chose aussi horrible qu'il se l'imaginait ? Naturellement, il alla d'abord consulter Moustache.

— Je ne vous dérange pas, Monsieur Moustache ? demanda-t-il au jardinier qui taillait les buis.

Moustache posa sa cisaille.

— Du tout, du tout, mon garçon.

— Monsieur Moustache, la guerre, qu'est-ce que vous en pensez ?

Le jardinier parut surpris.

— Je suis contre, répondit-il en se tirant les moustaches.

— Pourquoi êtes-vous contre ?

— Parce que... parce qu'une petite guerre de rien du tout peut anéantir un très grand jardin.

— Anéantir ? Qu'est-ce que cela veut dire ?

— Cela veut dire détruire, supprimer, réduire en poussière.

— Vraiment ? Et vous en avez vu, vous, Monsieur Moustache, des jardins... anéantis par la guerre ? dit Tistou.

Cela lui paraissait à peine croyable. Mais le jardinier ne plaisantait pas.

Il avait la tête baissée, fronçait ses gros sourcils blancs, et tordait sa moustache entre les doigts.

— Oui, oui, j'ai vu ça, répondit-il. J'ai vu mourir en deux minutes un jardin plein de

fleurs. J'ai vu les serres sauter en mille morceaux. Et tant de bombes tomber dans ce jardin qu'il a fallu renoncer pour toujours à le cultiver. Même la terre était morte.

Tistou avait la gorge serrée.

— Et à qui était-il, ce jardin ? demanda-t-il encore.

— À moi, répliqua Moustache qui se détourna pour cacher son chagrin et reprit sa cisaille.

Tistou resta un instant silencieux. Il réfléchissait. Il tâchait de se représenter le jardin, autour de lui, détruit comme l'avait été le jardin de Moustache, les serres brisées et la terre interdite aux fleurs. Les larmes lui vinrent aux yeux.

— Eh bien, je vais aller le dire ! s'écria-t-il. Il faut que tout le monde le sache. Je vais aller le dire à Amélie, je vais aller le dire au valet Carolus...

— Oh ! Carolus est encore plus à plaindre que moi. Lui, il a perdu son pays.

— Son pays ? Il a perdu son pays à la guerre ? Comment est-ce possible ?

— C'est pourtant ainsi. Son pays a complètement disparu. Il ne l'a jamais retrouvé. C'est pour cela qu'il est ici.

« J'avais bien raison de penser que la guerre était une chose horrible, puisqu'on peut y perdre son pays comme on perd un mouchoir », se disait Tistou.

— Je pourrais t'en conter encore long, sur la guerre, ajouta Moustache. Tu parlais d'Amélie la cuisinière ? Eh bien, Amélie, elle, a perdu son fils. D'autres perdent un bras, une jambe, ou bien ils perdent la tête. Dans une guerre, tout le monde perd quelque chose.

Tistou estima que la guerre était le plus grand, le plus vilain désordre qui se puisse voir au monde, puisque chacun y perdait ce à quoi il tenait le plus.

« Que pourrait-on faire pour l'empêcher de passer ?... se demandait-il. Monsieur Trouna-disse est sûrement contre la guerre, puisqu'il déteste si fort le désordre. Dès demain, je lui en parlerai. »

Chapitre 15

Où Tistou prend une leçon de géographie suivie d'une leçon d'usine, et où le conflit entre les Vazys et les Vatens s'étend de manière imprévue

Monsieur Trounadisse était assis derrière son bureau. Il avait retrouvé sa voix de trompette et criait dans trois téléphones à la fois. Monsieur Trounadisse, cela se voyait, était très occupé.

— C'est toujours ainsi, lorsqu'une guerre éclate quelque part dans le monde, dit-il à Tistou. À Mirepoil nous avons le double de travail.

En effet, le matin, Tistou l'avait remarqué, la sirène de l'usine avait sonné deux fois plus longtemps et les ouvriers étaient venus deux fois plus

nombreux. Les neuf cheminées rejetaient tant
de fumée que le ciel en était obscurci.

— Alors, je reviendrai quand vous aurez
moins à faire, dit Tistou.

— Que voulais-tu me demander ?

— Je voulais savoir où cette guerre a éclaté.

Monsieur Trounadisse se leva, amena Tistou
devant une mappemonde qu'il fit tourner, et
posa son doigt au milieu.

— Tu vois ce désert ? dit-il. Eh bien, c'est là.

Tistou vit, sous le doigt de Monsieur Trounadisse, une tache rose qui ressemblait à une
dragée.

— Pourquoi la guerre s'est-elle mise là, Monsieur Trounadisse ?

— C'est très facile à comprendre.

Quand Monsieur Trounadisse affirmait que
quelque chose était facile à comprendre, Tistou
se méfiait ; généralement c'était très compliqué.
Mais cette fois Tistou était décidé à bien écouter.

— Très facile, répéta Monsieur Trounadisse.
Ce désert n'appartient à personne...

« À personne », se répéta intérieurement Tistou.

— ... Mais à droite se trouve la nation des Vazys, et à gauche la nation des Vatens.

« Va-z-y... Va-t'en... », se répéta encore Tistou ; il était vraiment bien attentif.

— ... Or voici quelque temps les Vazys ont annoncé qu'ils voulaient ce désert ; les Vatens ont répondu qu'ils le voulaient aussi. Les Vazys se sont installés sur leur bord, les Vatens sur le leur. Les Vazys ont envoyé un télégramme aux Vatens pour leur dire de s'en aller. Les Vatens ont répliqué par radio qu'ils interdisaient aux Vazys de rester. Maintenant leurs armées sont en marche et, quand elles se rencontreront, elles vont se battre.

— Qu'y a-t-il donc dans cette dragée rose... je veux dire dans ce désert ? Des jardins ? demanda Tistou.

— Mais non, puisque c'est un désert ! Il n'y a rien du tout. Il y a des pierres...

— Alors ces gens vont se battre pour des cailloux ?

— Ils veulent posséder ce qui est en dessous.

— Sous le désert ? Qu'est-ce qu'il y a ?

— Du pétrole.

— Pourquoi le veulent-ils, ce pétrole ?

— Ils le veulent pour que les autres ne l'aient pas. Ils veulent ce pétrole parce que le pétrole est indispensable pour faire la guerre.

Tistou savait bien que les explications de Monsieur Trounadisse finiraient par être très difficiles !

Il ferma les yeux pour mieux réfléchir.

« Si je comprends bien, les Vazys et les Vatens vont se faire la guerre à cause du pétrole parce que le pétrole est indispensable à la guerre. » Il rouvrit les yeux.

— Eh bien, c'est idiot, déclara-t-il.

Les oreilles de Monsieur Trounadisse devinrent écarlates.

— Tistou, est-ce que vous voulez un zéro ?

— Non, répondit Tistou, mais je voudrais surtout que les Vazys et les Vatens ne se battent pas.

Cette preuve de bon cœur apaisa provisoirement la colère de Monsieur Trounadisse.

— Bien sûr, bien sûr, dit-il en haussant les épaules, personne ne voudrait qu'il y ait la guerre, jamais. Mais cela a toujours existé...

« Que pourrais-je bien faire ?... pensait Tistou. Mettre mes pouces sur la tache rose ?... »

— Est-ce loin ce désert ? demanda-t-il.

— À moitié chemin entre ici et l'autre côté de la terre.

— Alors la guerre ne peut pas arriver jusqu'à Mirepoil ?

— Ce n'est pas impossible. On sait où une guerre commence, on ne sait jamais où elle s'arrête. Les Vazys peuvent appeler à leur secours une grande nation, les Vatens demander l'aide d'une autre. Et les deux grandes nations se battront. C'est ce qu'on appelle une extension de conflit.

La tête de Tistou tournait comme un moteur.

« Oui, en somme, la guerre est une espèce d'affreux chiendent qui pousse sur la mappemonde... Par quelles plantes pourrait-on la combattre ? »

— Maintenant, tu vas m'accompagner à l'usine, dit Monsieur Trounadisse. Tu la verras en plein rendement ; ce sera une bonne leçon.

Il cria quelques ordres dans ses trois téléphones, et descendit en compagnie de Tistou.

Celui-ci fut d'abord assourdi par le bruit. Les marteaux-pilons frappaient à toute force, les machines ronflaient comme des millions de toupies. Il fallait crier pour se faire entendre, même quand on avait la voix de Monsieur Trounadisse.

Tistou fut également aveuglé par les gerbes d'étincelles qui jaillissaient de partout ; l'acier fondu coulait par terre, en gros ruisseaux brûlants ; il faisait une chaleur étouffante, et les hommes dans cette usine immense paraissaient tout petits et tout noirs.

Après l'atelier de fonderie, Tistou visita les ateliers de polissage, de tournage, de montage, les ateliers de fusils, de mitrailleuses, de chars, de camions, car l'usine de Monsieur Père fabriquait tout ce qui servait à la guerre, armes et munitions.

Le lendemain était jour de livraison et l'on empaquetait le matériel avec autant de précaution que si l'on avait emballé de la porcelaine.

Enfin Monsieur Trounadisse montra à Tistou

deux grands canons, longs comme des tours de cathédrale, et tout luisants, à croire qu'on les avait entièrement beurrés.

Suspendus à des chaînes, les canons passaient lentement en l'air ; puis ils furent déposés, doucement, doucement, sur des remorques de camions, des remorques dont on ne voyait pas le bout.

— Ce sont ces canons-là, Tistou, qui ont fait la richesse de Mirepoil, cria Monsieur Trounadisse. Ils peuvent démolir, à chaque obus tiré, quatre maisons grandes comme la tienne.

Cette nouvelle ne parut pas inspirer à Tistou la même fierté.

« Alors, pensa-t-il, à chaque coup de canon, quatre Tistou sans maison, quatre Carolus sans escalier, quatre Amélie sans cuisine... C'est donc avec ces machines-là qu'on perd son jardin, son pays, sa jambe ou quelqu'un de sa famille... Eh bien, vrai ! »

Et toujours les marteaux tapaient, les forges chauffaient.

— Pour qui êtes-vous, Monsieur Trounadisse ? demanda Tistou en forçant la voix à cause du vacarme qui les entourait.

— Quoi donc ?

— Je dis : pour qui êtes-vous dans cette guerre ?

— Pour les Vazys, cria Monsieur Trouna-disse.

— Et mon père ?

— Aussi.

— Pourquoi ?

— Parce que ce sont depuis longtemps nos fidèles amis.

« Évidemment, se dit Tistou, si on a des amis qui sont attaqués, il est juste de les aider à se défendre. »

— Alors ces canons-là s'en vont chez les Vazys ? reprit-il.

— Celui de droite seulement, cria Monsieur Trounadisse. L'autre est pour les Vatens.

— Comment, pour les Vatens ? s'écria Tistou, indigné.

— Parce qu'ils sont aussi de bons clients.

Ainsi un canon de Mirepoil allait tirer contre un autre canon de Mirepoil, et démolir un jardin d'un côté comme de l'autre !

— C'est cela le commerce, ajouta Monsieur Trounadisse.

— Eh bien, je le trouve affreux, votre commerce !

— Quoi donc ! demanda Monsieur Trounadisse en se baissant, parce que les marteaux-pilons couvraient la voix de Tistou.

— Je dis que votre commerce est affreux, parce que...

Une énorme gifle l'arrêta net. Le conflit entre les Vazys et les Vatens venait de s'étendre soudainement jusqu'à la joue de Tistou.

« Voilà ce que c'est la guerre ! On demande une explication, on donne son avis, et pan ! on reçoit une gifle. Et si je te faisais pousser du houx dans ta culotte, qu'est-ce que tu en dirais ! pensait Tistou, les yeux pleins de larmes en regardant Monsieur Trounadisse. Parfaitement, du houx dans ses pantalons, ou bien des chardons... »

Il serrait les pouces... et ce fut ainsi que l'idée, sa grande idée lui vint.

La leçon d'usine, vous le pensez bien, se termina là. Tistou reçut un double zéro, et Monsieur Trounadisse avertit immédiatement Monsieur Père. Celui-ci fut extrêmement chagriné. Son Tistou, qui devait un jour lui succéder et devenir le maître de Mirepoil, montrait vraiment peu de dispositions pour diriger une si belle entreprise.

— Il faut que je lui parle très sérieusement, dit Monsieur Père. Où est-il ?

— Il est parti se réfugier chez le jardinier, comme d'habitude, répondit Monsieur Trounadisse.

— Bon, nous verrons cela plus tard. Pour l'instant, finissons les emballages.

En raison de l'urgence des livraisons, l'usine tournait sans arrêt. Toute la nuit les neuf cheminées étaient couronnées de grandes lueurs rouges.

Or ce soir-là, Monsieur Père, qui n'avait pas pris le temps de dîner et qui surveillait le travail de ses ateliers du haut d'une petite tour vitrée, eut une bonne surprise. Son Tistou était revenu à l'usine et passait lentement le long des caisses de fusils, grimpait dans les camions, se penchait sur les moteurs, se faufilait entre les grands canons.

« Brave Tistou, se dit Monsieur Père. Voilà un garçon qui cherche à rattraper son double zéro. Allons ! Tout espoir n'est pas perdu. »

Tistou, en vérité, n'avait jamais paru si sérieux ni si affairé ! Ses cheveux se tenaient tout droits sur la tête. À chaque instant, il tirait de petits bouts de papier de sa poche.

« On dirait même qu'il prend des notes, remarqua Monsieur Père. Pourvu qu'il ne se pince pas, à mettre ainsi les doigts dans les mitrailleuses. Allons, c'est un bon petit, qui reconnaît vite ses erreurs. »

Monsieur Père allait avoir d'autres surprises.

Chapitre 16

Où se succèdent
les nouvelles stupéfiantes

Personne n'ignore que les journaux ne parlent des guerres qu'en lettres majuscules. Ces lettres sont rangées dans une armoire spéciale. Et c'est précisément devant cette armoire aux majuscules qu'hésitait le directeur de *L'Éclair de Mirepoil,* quotidien bien connu.

Le directeur tournait en rond, soupirait, s'épongeait le front, ce qui est toujours signe d'émotion et de perplexité. Cet homme-là était très ennuyé.

Tantôt il se saisissait d'une grande majuscule, de celles que l'on réserve pour les grandes victoires ; mais il la reposait immédiatement. Tantôt il choisissait une des majuscules moyennes qui servent aux guerres qui ne marchent pas très bien, aux campagnes qui n'en finissent pas, aux retraites imprévues. Mais cette majuscule ne convenait pas davantage ; elle retournait dans l'armoire.

Un instant il parut se décider pour les toutes petites capitales, avec lesquelles on annonce les nouvelles qui mettent tout le monde de mauvaise humeur, comme : « La route du sucre est coupée » ou bien : « Nouvel impôt sur les confitures ». Mais ces lettres-là non plus ne faisaient pas l'affaire. Et le directeur de *L'Éclair* soupirait de plus en plus fort. Vraiment, c'était un homme bien ennuyé.

Il devait annoncer aux habitants de Mirepoil, ses fidèles lecteurs, une nouvelle tellement inattendue, et si grave de conséquences, qu'il ne savait comment s'y prendre. La guerre entre les Vazys et les Vatens avait échoué. Allez donc faire

admettre au public qu'une guerre puisse s'arrêter net, sans vainqueur, sans vaincu, sans conférence internationale, sans rien !

Ah ! le pauvre directeur eût aimé pouvoir imprimer, sur toute la largeur de sa première page, un titre à sensation tel que : *Fulgurante avance des Vazys* ou *Irrésistible attaque des armées Vatens.*

Il ne pouvait en être question. Les reporters envoyés sur la tache rose étaient formels : la guerre n'avait pas eu lieu, et son échec mettait en cause la qualité des armes livrées par la Manufacture de Mirepoil ainsi que les compétences techniques de Monsieur Père, de ses ateliers, de tout son personnel.

En somme, c'était d'un désastre qu'il s'agissait !

Essayons, avec le directeur de *L'Éclair,* de reconstituer le déroulement des tragiques événements.

Des plantes grimpantes, rampantes, collantes, avaient pris racine dans les caisses d'armes. Comment s'étaient-elles fourrées là ? Pourquoi ? Personne ne pouvait l'expliquer.

Le lierre, la vigne blanche, le liseron, l'ampélopsis des murailles, la renouée des oiseaux et la cuscute d'Europe formaient autour des mitrailleuses, des mitraillettes, des revolvers, un inextricable écheveau, qu'aggravait encore la glu répandue par la jusquiame noire.

Ces caisses, les Vazys comme les Vatens avaient dû renoncer à les déballer.

Les reporters, dans leurs dépêches, insistaient sur l'action particulièrement nocive de la grande bardane, plante dont les petites baies rouges sont munies de crochets. La grande bardane s'était agrippée aux baïonnettes. Que faire de fusils qui fleurissaient, de baïonnettes qui ne piquaient plus, et auxquels de jolis bouquets ôtaient toute efficacité ? Il fallut les jeter aux poubelles.

Inutilisables également, les magnifiques camions, si consciencieusement zébrés de gris et de jaune ! La ronce piquante, le gratteron et plusieurs variétés d'orties, dont la brûlante, poussaient en abondance sur les sièges provoquant une urticaire immédiate chez les chauffeurs. Ces derniers furent les seules victimes de la guerre. Les infirmières en voile blanc condamnèrent à l'immobilité et aux compresses tièdes ces soldats que de cruelles démangeaisons empêchaient de s'asseoir.

Ici se place le piteux incident causé par l'impatiente-n'y-touchez-pas. Qu'une modeste fleur des champs puisse déclencher une panique parmi des combattants s'explique si l'on sait que l'impatiente-n'y-touchez-pas est pourvue de capsules qui éclatent au moindre contact.

Les moteurs en étaient pleins. L'impatiente foisonnait dans le carburateur des auto-mitrailleuses, dans le réservoir des motocyclettes. Au premier tour de démarreur, au premier coup de pédale se produisirent, se répandirent, se généralisèrent des explosions sourdes qui ne firent aucun mal mais ébranlèrent fortement le moral des troupes.

Passons aux chars. Leurs tourelles étaient bloquées. Des buissons d'églantines, auxquels se mêlaient la grande cracca et la benoîte des ruisseaux, lançaient racines, grappes, pédoncules et rameaux épineux autour des mécanismes. Les chars étaient donc, eux aussi, inutilisables.

Pas un appareil que la mystérieuse invasion eût épargné ! Des plantes apparaissaient partout, des plantes tenaces, agissantes et comme douées d'une volonté personnelle.

Dans les masques à gaz se développait l'achillée sternutatoire. Le reporter de *L'Éclair* affirmait que si l'on s'approchait à moins d'un mètre de ces masques, on se mettait à éternuer plus de cinquante fois.

Des herbes malodorantes s'étaient logées à l'intérieur des porte-voix. Les officiers avaient dû renoncer à l'usage de ces cornets où croissaient l'ail des ours et la camomille puante.

Muettes, paralysées, inoffensives, les deux armées étaient arrêtées, face à face.

Les mauvaises nouvelles vont vite. Monsieur Père était déjà au courant, et dans l'état de désespoir que l'on pense. Ses armes fleurissaient comme des acacias au printemps.

Il se tenait constamment en liaison avec le directeur de *L'Éclair,* qui lui lisait au téléphone les navrantes dépêches... Il restait un espoir, les canons, les fameux canons de Mirepoil.

— Une action peut encore s'engager entre deux armées immobilisées, à condition qu'elles soient pourvues de bons canons, disait Monsieur Père.

On attendit jusqu'au soir. Une dernière dépêche chassa toutes les illusions.

Les canons de Mirepoil avaient tiré, certes ; ils avaient tiré des fleurs.

Une pluie de digitales, de campanules et de bleuets s'était abattue sur les positions des Vazys qui avaient riposté, inondant les Vatens de renoncules, de marguerites et de stellaires. Un général avait eu sa casquette enlevée par un bouquet de violettes !

On ne prend pas un pays avec des roses, et les batailles de fleurs n'ont jamais passé pour choses sérieuses.

Entre les Vazys et les Vatens, la paix fut conclue sur l'heure. Les deux armées se retirèrent et le désert couleur de dragée rose fut rendu à son ciel, à sa solitude et à sa liberté.

Chapitre 17

Où Tistou, courageusement, se dénonce

Il y a des silences qui réveillent. Tistou, ce matin-là, sauta de son lit parce que la grosse sirène ne sonna pas. Il alla à la fenêtre.

La fabrique de Mirepoil était arrêtée ; les neuf cheminées ne fumaient plus.

Tistou courut au jardin. Assis dans sa brouette, Moustache lisait le journal, ce qui lui arrivait rarement.

— Ah ! te voilà, toi ! s'écria-t-il. Pour du travail bien fait, on peut dire que c'est du travail

bien fait. Je n'aurais jamais cru que tu arriverais à un si beau résultat !

Moustache rayonnait, exultait. Il embrassa Tistou, c'est-à-dire qu'il lui enveloppa la tête de ses moustaches.

Puis, avec cette légère mélancolie des hommes qui ont fini leur tâche, il ajouta :

— Je n'ai plus rien à t'apprendre. Tu en sais maintenant aussi long que moi, et tu vas bien plus vite.

Venant d'un maître tel que Moustache, le compliment réchauffa le cœur de Tistou.

Du côté des écuries, Tistou rencontra Gymnastique.

— C'est merveilleux, lui glissa Tistou dans sa douce oreille beige. Avec des fleurs, j'ai arrêté une guerre.

Le poney n'en parut pas autrement surpris.

— À propos, répondit-il, une botte de trèfle blanc me ferait assez plaisir. C'est ce que je préfère pour mon petit déjeuner, et j'en trouve de moins en moins sur la prairie. Tâche d'y penser, à l'occasion.

Ces mots plongèrent Tistou dans la stupéfaction. Non pas parce que le poney parlait... cela, il s'en était aperçu depuis longtemps... mais parce que le poney savait qu'il avait les pouces verts.

« Heureusement que Gymnastique ne parle jamais à personne d'autre qu'à moi », se dit Tistou.

Et il remonta, pensif, vers la maison. Ce poney-là, décidément, en connaissait long.

Dans la Maison-qui-brille, les choses n'allaient pas comme à l'accoutumée. D'abord, c'est un fait, les vitres brillaient moins. Amélie ne chantait pas devant ses fourneaux : *Ninon, Ninon, qu'as-tu fait de ta vie...* qui était sa chanson préférée. Le valet Carolus ne faisait pas reluire la rampe.

Madame Mère avait quitté sa chambre dès huit heures, comme lorsqu'elle partait en voyage. Elle prenait son café au lait dans la salle à manger, ou plutôt son café au lait était devant elle, et elle n'y touchait pas. Elle vit à peine Tistou traverser la pièce.

Monsieur Père n'était pas allé au bureau. Il se trouvait dans le grand salon, en compagnie de Monsieur Trounadisse, et tous deux marchaient à grands pas, de manière désordonnée, si bien que, de temps en temps, ils se cognaient et à d'autres moments se tournaient le dos. Leur conversation faisait un bruit d'orage.

— Ruine ! Déshonneur ! Fermeture ! Chômage ! criait Monsieur Père.

Et Monsieur Trounadisse répondait, comme l'écho du tonnerre roulant dans les nuages :

— Conspiration... Sabotage... Attentat pacifiste...

— Ah ! mes canons, mes beaux canons, reprenait Monsieur Père.

Tistou, sur le seuil de la porte entrouverte, n'osait pas les interrompre.

« Voilà comme elles sont, ces grandes personnes, se disait-il. Monsieur Trounadisse m'affirmait que tout le monde était contre la guerre, mais que c'était un mal inévitable, qu'on ne pouvait rien y faire. J'arrive à empêcher une guerre ; ils devraient être contents ; non, ils se fâchent. »

Monsieur Père, heurtant au passage l'épaule de Monsieur Trounadisse, s'écriait, hors de lui :

— Ah ! si je tenais le misérable qui est allé semer des fleurs dans mes canons !

— Ah ! oui, si je le tenais, moi aussi ! répondait Monsieur Trounadisse.

— Mais peut-être n'y a-t-il aucun responsable... Effet des puissances supérieures...

— Il faut faire une enquête... Haute trahison.

Tistou, vous le savez, était un garçon courageux. Il ouvrit la porte, alla jusque sous le grand lustre de cristal, au centre du tapis à guirlandes, et face au portrait de Monsieur Grand-Père. Il prit son souffle :

— C'est moi qui ai semé les fleurs dans les canons, dit-il.

Et puis il ferma les yeux, attendant la gifle. La gifle n'étant pas arrivée, il rouvrit les paupières.

Monsieur Père s'était arrêté dans un coin du salon, et Monsieur Trounadisse à l'autre bout. Ils regardaient Tistou, mais n'avaient pas l'air de le voir. À se demander même s'ils avaient entendu et compris.

« Ils ne me croient pas », pensa Tistou qui, pour confirmer son aveu, énuméra ses prouesses comme on donne la solution d'une charade.

— Les volubilis dans la zone, c'est moi ! La prison, c'est moi ! Et l'édredon de pervenches pour la petite fille malade, c'est moi ! Et le baobab dans la cage aux lions, c'est encore moi !

Monsieur Père et Monsieur Trounadisse continuaient à jouer les statues. Les paroles de Tistou, manifestement, ne leur pénétraient pas dans la tête. Ils avaient tout juste la figure de gens qui vont vous dire dans une seconde : « Cesse donc de raconter des bêtises et laisse les grandes personnes tranquilles. »

« Ils pensent que je me vante, se dit Tistou. Il faut que je leur prouve la vérité. »

Il s'approcha du portrait de Monsieur Grand-Père. Sur le canon qui servait d'accoudoir au vénéré fondateur de la Manufacture de Mirepoil, Tistou posa les deux pouces et les tint appuyés pendant quelques secondes.

La toile eut un léger frisson et l'on vit sortir de la bouche du canon un brin de muguet qui poussa d'abord une feuille, puis l'autre, puis ses clochettes blanches.

— Et voilà ! dit Tistou. J'ai les pouces verts.

Il s'attendait à ce que Monsieur Trounadisse devînt cramoisi, et Monsieur Père tout blanc. Ce fut le contraire qui arriva.

Monsieur Père s'écroula dans un fauteuil, le visage pourpre, tandis que Monsieur Trounadisse, pâle comme une pomme de terre, se laissait tomber sur le tapis.

Tistou reconnut à ce double signe que de faire pousser des fleurs à l'intérieur des canons dérangeait gravement la vie des grandes personnes.

Et il sortit du salon, la joue intacte, ce qui prouve que le courage est toujours récompensé.

Chapitre 18

Où quelques grandes personnes finissent par renoncer à leurs idées toutes faites

Monsieur Père, ainsi que vous avez pu le constater au cours de ce récit, était un homme de décision rapide. Il lui fallut néanmoins une grande semaine pour réfléchir à la situation et y faire face.

Entouré de ses meilleurs ingénieurs, il tint plusieurs conseils de direction, auxquels participa Monsieur Trounadisse. Il s'enferma dans son bureau, seul, et y passa de longues heures la tête entre les mains. Il prit des notes ; il les déchira.

En somme la situation se résumait ainsi : Tistou avait les pouces verts, il se servait de ses pouces verts et, en se servant de ses pouces verts, il avait arrêté l'usine de Mirepoil.

Car, bien entendu, les ministres de la Guerre et les généraux en chef qui se fournissaient habituellement à Mirepoil avaient aussitôt annulé leurs commandes et retiré leur clientèle.

— Autant s'adresser à un fleuriste ! disaient-ils.

Il y avait une solution, évidemment, qui vint à l'esprit de quelques personnes sans imagination : enfermer Tistou dans la prison, parce qu'il dérangeait l'ordre, faire savoir dans la presse que le perturbateur avait été mis hors d'état de nuire, remplacer aux acheteurs les canons feuillus par des armes du modèle courant, et envoyer une circulaire à tous les généraux en les informant que la manufacture reprenait sa fabrication comme par le passé.

Mais Monsieur Trounadisse... oui, Monsieur Trounadisse lui-même, s'opposa à cette solution.

— On ne se relève pas facilement d'un coup

pareil, dit-il sans crier. La suspicion pour longtemps va peser sur nos produits. Et puis enfermer Tistou dans la prison, cela ne servirait à
rien. Il fera pousser des chênes dont les racines
démoliront les murs, et il s'échappera. On ne
peut pas s'opposer aux forces de la nature.

Monsieur Trounadisse avait beaucoup
changé ! Ses oreilles, depuis le jour de sa chute
dans le salon, s'étaient éclaircies ; sa voix s'était
calmée. Et puis... pourquoi ne pas le dire ? Monsieur Trounadisse souffrait d'imaginer Tistou en
costume de bagnard, tournant en rond dans une
prison, même une prison fleurie. La prison fait
partie des choses qu'on envisage très tranquille-
ment pour les gens qu'on ne connaît pas. Mais
dès qu'il s'agit d'un petit garçon qu'on aime,
c'est tout différent.

En dépit des remontrances, des zéros, de la gifle, Monsieur Trounadisse, dès qu'on parla de prison, découvrit qu'il aimait beaucoup Tistou, qu'il s'était attaché à lui, et qu'il supporterait mal d'être privé de le voir. Ainsi sont quelquefois les gens qui crient très fort.

D'ailleurs Monsieur Père se fût de toute manière opposé à l'emprisonnement de Tistou. Monsieur Père était bon, je vous l'ai déjà dit. Il était bon et il était marchand de canons. À première vue, cela ne paraît pas compatible. Il adorait son fils et fabriquait des armes pour rendre orphelins les enfants des autres. Cela se voit plus souvent qu'on ne croit.

— Nous étions parvenus à deux réussites, dit-il à Madame Mère. Nous fabriquions les meilleurs canons et nous avions fait de Tistou un enfant heureux. Il semble que les deux choses ne puissent plus aller ensemble.

Madame Mère était douce, belle et gentille. Une personne exquise. Elle écoutait toujours avec beaucoup d'intérêt, et même d'admiration, les paroles de son mari. Depuis la malheureuse affaire de la guerre des Vazys, elle se sentait un peu coupable, vaguement, sans savoir de quoi.

Une mère se croit toujours un peu coupable quand son enfant dérange la vie des grandes personnes et risque d'avoir des ennuis.

— Que faire, mon ami, que faire ? répondit-elle.

— Ce qui me préoccupe, c'est autant le sort de Tistou que celui de l'usine, reprit Monsieur Père. Nous nous étions fait une idée de l'avenir de cet enfant ; nous pensions qu'il allait me succéder comme j'ai succédé à mon père. Il avait son chemin tout tracé, la fortune, la considération...

— C'était une idée toute faite, dit Madame Mère.

— Eh ! oui. Une idée toute faite, et bien commode. Maintenant, il faut nous en faire une autre. Ce petit n'a pas de goût pour l'armurerie, c'est visible.

— Sa vocation paraît le porter vers l'horticulture.

Monsieur Père se souvint des mots résignés de Monsieur Trounadisse : « On ne peut rien contre les forces de la nature... »

« Certes, on ne peut rien contre ces forces,

pensait Monsieur Père, mais on peut se servir d'elles. »

Il se redressa, fit trois pas dans la pièce, se retourna, tira sur les pointes de son gilet.

— Ma chère épouse, dit-il, voilà ma décision.

— Je suis sûre qu'elle est parfaite, dit Madame Mère, les yeux rosis par les larmes, car le visage de Monsieur Père en cette minute-là avait vraiment quelque chose d'héroïque, d'émouvant, et ses cheveux brillaient plus que jamais.

— Nous allons, déclara-t-il, transformer l'usine de canons en usine à fleurs.

Les grands hommes d'affaires ont le secret de ces revirements soudains, de ces brusques redressements devant l'adversité.

On se mit immédiatement au travail. Le succès fut foudroyant.

La bataille à coups de violettes et de renoncules avait fait couler beaucoup d'encre à travers le monde. L'opinion était préparée. Tous les événements précédents, les mystérieuses floraisons, et jusqu'au nom même de la ville, Mirepoil-les-Fleurs, tout concourut au développement de la nouvelle entreprise.

Monsieur Trounadisse, à qui l'on confia la publicité, fit tendre en travers des routes d'alentour d'immenses banderoles où l'on pouvait lire

Plantez les fleurs
qui grandissent en une seule nuit

Ou bien :

Les fleurs de Mirepoil
poussent même sur l'acier

Mais son meilleur slogan fut sans doute :

Dites non à la guerre,
mais dites-le avec des fleurs

Les clients affluèrent, et la Maison-qui-brille retrouva sa prospérité.

Chapitre 19

Où Tistou fait
une dernière découverte

Les histoires ne s'arrêtent jamais où l'on croit. Vous pensiez peut-être que tout était dit ; vous pensiez sans doute connaître bien Tistou. Sachez que l'on ne connaît jamais personne complètement. Nos meilleurs amis nous réservent toujours des surprises.

Certes, Tistou ne faisait plus mystère de ses pouces verts. Au contraire, on en parlait beaucoup et Tistou était devenu un enfant célèbre,

non seulement à Mirepoil mais dans le monde entier.

L'usine marchait à merveille. Les neuf cheminées étaient couvertes jusqu'au sommet de verdure et de fleurs éclatantes. Les ateliers embaumaient les parfums les plus rares.

On fabriquait des tapis de fleurs pour décorer les appartements et des tentures de fleurs pour remplacer aux murs la cretonne et le papier peint. Les jardins étaient expédiés par wagons entiers. Monsieur Père avait même reçu une commande de cache gratte-ciel, parce que les gens qui vivaient dans ces maisons-là étaient souvent, disait-on, pris d'une sorte de fièvre qui les poussait à se jeter par la fenêtre du cent trentième étage.

À vivre si loin de la terre, forcément, ils ne devaient pas se sentir à leur aise, et l'on pensait que des fleurs leur feraient passer ce vertige.

Moustache était devenu grand-conseiller des cultures. Tistou ne cessait de perfectionner son art. Maintenant, il inventait des fleurs. Il était parvenu à créer la rose bleue dont chaque pétale était comme un morceau de ciel, et il avait mis au point deux nouvelles variétés de soleils : le soleil levant couleur d'aurore et le soleil couchant d'un beau pourpre cuivré.

Lorsqu'il avait fini, il allait jouer dans le jardin avec la petite fille guérie. Gymnastique ne mangeait plus que du trèfle blanc.

— Alors, tu es content, maintenant ? dit un jour le poney Gymnastique à Tistou.

— Oh ! oui, très content, répondit Tistou.

— Tu ne t'ennuies pas ?

— Pas du tout.

— Tu n'as pas envie de nous quitter ? Tu vas rester avec nous ?

— Mais bien sûr ! Pourquoi cette drôle de question ?

— Une idée...

— Qu'est-ce que tu veux dire ? Elle n'est donc pas finie mon histoire ? demanda Tistou.

— On verra... on verra..., dit le poney en se remettant à brouter son trèfle.

À quelques matins de là, une nouvelle circula dans la Maison-qui-brille, dont chacun parut fort attristé. Le jardinier Moustache ne s'était pas réveillé.

— Moustache a décidé de se reposer pour toujours, expliqua Madame Mère à Tistou.

— Je peux aller le voir dormir ?

— Non, non. Tu ne peux plus le voir. Il est parti pour un long, long voyage dont il ne reviendra jamais.

Tistou ne comprenait pas très bien. « On ne voyage pas les yeux fermés, pensa-t-il. S'il dort, il aurait pu me dire bonsoir. Et s'il est parti, il aurait pu me dire au revoir. Ce n'est pas clair, tout cela ; on me cache quelque chose. »

Il alla interroger la cuisinière Amélie.

— Ce pauvre Moustache est au ciel ; il est plus heureux que nous à présent, dit Amélie.

« S'il est heureux, pourquoi dire qu'il est pauvre, et s'il est pauvre comment peut-il être heureux ? » se demanda Tistou.

Carolus avait encore une autre opinion. D'après lui, Moustache était sous terre, au cimetière.

Tout ceci était plein de contradictions.

Sous terre ou au ciel ? Il fallait s'entendre. Le jardinier ne pouvait pas être partout à la fois.

Tistou alla trouver Gymnastique.

— Je sais, dit le poney ; Moustache est mort.

Gymnastique disait toujours la vérité ; c'était un de ses principes.

— Mort ? s'écria Tistou. Mais il n'y a pas eu de guerre ?

— Il n'y a pas besoin de guerre pour mourir, répondit le poney. La guerre, c'est de la mort en supplément... Moustache est mort parce qu'il était très vieux. Toute vie se termine de cette manière-là.

Tistou eut l'impression que le soleil perdait sa lumière, que la prairie devenait toute noire et que l'air avait mauvais goût à respirer. Ce sont là des signes d'un malaise que les grandes personnes croient être seules à éprouver, mais que les petites personnes de l'âge de Tistou connaissent, elles aussi, et qui se nomme le chagrin.

Tistou entoura de ses bras le cou du poney et pleura un long moment dans sa crinière.

— Pleure, Tistou, pleure, disait Gymnastique. C'est nécessaire. Les grandes personnes s'empêchent de pleurer ; elles ont tort, parce que leurs larmes se gèlent à l'intérieur et c'est ce qui leur fait le cœur si dur.

Mais Tistou était un étrange enfant qui refusait de se plier devant le malheur tant qu'il n'était pas allé y mettre les pouces.

Il sécha ses larmes et fit un peu d'ordre dans ses idées.

« Au ciel ou sous terre ? » se répéta-t-il.

Il décida de se rendre au plus près. Le lendemain, après le déjeuner, il sortit du jardin et courut jusqu'au cimetière qui était à flanc de colline. Un joli cimetière, plein d'arbres et pas triste du tout.

« On dirait des flammes de nuit qui brûlent pendant le jour », pensa-t-il en voyant les beaux cyprès noirs.

Il aperçut un jardinier, de dos, qui ratissait une allée. Il eut un instant le fol espoir... Mais le jardinier se retourna. C'était un simple jardinier de cimetière, sans ressemblance avec celui que Tistou cherchait.

— Pardon, monsieur, savez-vous où est Monsieur Moustache ?

— Troisième allée à droite, répondit le jardinier sans s'arrêter de ratisser.

« C'est donc bien ici... » pensa Tistou.

Il suivit la direction indiquée, avança entre les tombes et s'arrêta devant la dernière, une tombe toute neuve. Sur la dalle de pierre, on pouvait

lire cette inscription, composée par l'institu-
teur :

Ci-gît maître Moustache
Jardinier sans tache.
Il fut l'ami des fleurs ;
Passants, versez un pleur.

Et Tistou se mit au travail. « Moustache ne résistera pas à une belle pivoine. Il aura envie de lui parler », songeait Tistou. Il enfonça son pouce droit en terre, attendit quelques instants. La pivoine sortit du sol, monta, s'épanouit, inclina la tête, lourde comme un chou, vers l'inscription. Mais la dalle ne bougea pas.

« Les parfums, peut-être... Il avait le nez très fin sous ses grosses moustaches », pensa Tistou. Et il fit surgir jacinthes, œillets, lilas, mimosas et tubéreuses. La tombe en fut entourée en quelques minutes, comme d'un bosquet. Mais elle resta une tombe.

« Et une fleur qu'il n'aurait pas connue, se dit encore Tistou. Même si l'on est très fatigué, la curiosité, ça réveille. »

Mais la mort se moque des énigmes. Les énigmes, c'est elle qui les pose.

Pendant une heure, Tistou déploya la plus vive imagination pour fabriquer une végétation jamais vue. Il inventa ainsi la fleur-papillon, à deux pistils en forme d'antennes et deux pétales éployés qui frémissaient au moindre souffle d'air. Ce fut sans résultat.

Lorsqu'il partit, les mains noires, la tête basse, il laissait derrière lui la plus étonnante tombe qu'on ait jamais vue dans un cimetière ; mais Moustache n'avait pas répondu.

Tistou traversa la prairie, s'approcha de Gymnastique.

— Tu sais, Gymnastique...

— Oui, je sais, répondit le poney. Tu as découvert que la mort est le seul mal que les fleurs n'empêchent pas de passer.

Et comme le poney était un moraliste, il ajouta :

— C'est pourquoi les hommes sont bien sots de chercher à se nuire les uns aux autres, comme ils le font tout le temps.

Tistou, le nez en l'air, regardait les nuages et réfléchissait.

Chapitre 20

Où l'on apprend
enfin qui était Tistou

Elle l'occupait depuis plusieurs jours ; elle requérait tous ses soins ; il ne pensait plus qu'à elle. À quoi donc ? À l'échelle.

— Tistou construit une échelle ; cela va lui changer les idées, disait-on à Mirepoil.

On n'en savait pas davantage. Une échelle pour poser où ? Pour quel usage ? Pourquoi une échelle plutôt qu'une tour ou qu'un pavillon fleuri ?

Tistou demeura évasif.

— J'ai envie de faire une échelle, voilà tout.

Il avait choisi l'emplacement, bien au centre de la prairie.

Une échelle, ordinairement, c'est l'affaire d'un menuisier. Mais Tistou ne se servait pas de bois coupé.

Il avait commencé par planter ses pouces en terre, profondément, et aussi éloignés l'un de l'autre qu'il le pouvait en écartant les bras.

— Il faut que les racines de cette échelle soient solides, expliqua-t-il au poney qui suivait avec intérêt les travaux.

Deux arbres s'élevèrent, deux beaux arbres aux rameaux serrés, à la taille élancée. En moins d'une semaine, ils mesuraient trente mètres. Chaque matin, Tistou, fidèle aux enseignements de Moustache, leur adressait un petit discours. Cette méthode donna les meilleurs résultats.

Les deux arbres étaient d'essence rare ; le tronc tenait, par élégance, du peuplier d'Italie, mais avec la dureté de l'if et du buis. La feuille était dentelée comme celle du chêne, et les fruits poussaient verticalement, en petits cônes, comme les pommes du sapin.

Mais lorsque les arbres eurent dépassé

soixante mètres, les feuilles dentelées laissèrent la place à des aiguilles bleutées, puis apparurent des bourgeons feutrés qui firent dire à Carolus que les arbres étaient d'une espèce qu'on connaissait bien dans son pays, et qu'on appelait le sorbier des oiseleurs.

— Ça, du sorbier ? s'écria la cuisinière Amélie. N'avez-vous pas vu qu'il y pousse maintenant des grappes blanches et parfumées ? Ce sont des acacias, je vous le dis, et je m'y connais, parce qu'avec la fleur on fait des beignets.

Mais Amélie, pas plus que Carolus, n'avait raison ni tort. Chacun, dans ces arbres-là, voyait l'espèce qu'il aimait le plus. C'étaient des arbres sans nom.

Ils eurent bientôt plus de cent mètres et, les jours de brume, on n'en apercevait plus le sommet.

Mais, diriez-vous, deux arbres, même très hauts, n'ont jamais suffi à faire une échelle.

Ce fut alors qu'apparut la glycine, une glycine de variété singulière, d'ailleurs, et assez fortement croisée de houblon. Elle offrait en outre cette particularité de pousser parfaitement à l'horizontale, entre les deux arbres. Elle prenait solidement appui sur l'un des troncs, s'élançait, attrapait l'autre tronc, s'enroulait trois fois autour, faisait un nœud avec sa propre tige, montait un peu plus haut, repartait en sens inverse. Ainsi se construisirent les barreaux de l'échelle.

L'admirable fut quand cette glycine, d'un seul coup, se mit à fleurir. Une cataracte mauve semblait couler du ciel.

— Si vraiment Moustache est là-haut, comme on s'obstine à me le dire, confia Tistou à Gymnastique, il profitera certainement de cette échelle pour descendre, ne serait-ce qu'un petit moment.

Le poney ne répondit pas.

— Je suis trop malheureux de ne pas le voir... et de ne pas savoir, dit Tistou.

L'échelle continuait à grandir. On la photographia pour les journaux en couleurs, qui écrivirent à son propos : *L'échelle de fleurs de Mirepoil est la huitième merveille du monde.*

Si l'on avait demandé aux lecteurs quelles étaient les sept premières, ils auraient été bien embarrassés dans leur réponse. Posez donc la question à vos parents, pour voir !

Mais tout ceci ne fit pas descendre Moustache.

« J'attends encore trois matins, décida Tistou, et ensuite je saurai ce qu'il me reste à faire. »

Le troisième matin arriva.

La lune se couchait, le soleil n'était pas levé et les étoiles commençaient à tomber de sommeil, lorsque Tistou sortit de son lit. Il ne faisait plus nuit et pas encore jour.

Tistou portait sa longue chemise blanche.

« Où sont donc mes pantoufles ? » se demanda-t-il. Il trouva l'une sous le lit et l'autre sur la commode.

Il se laissa glisser le long de la rampe, sortit à pas de loup et arriva jusqu'à l'échelle, au milieu de la prairie. Gymnastique s'y trouvait aussi. Il avait le pelage triste, l'oreille couchée, la crinière emmêlée.

— Comment, tu es déjà debout ? lui demanda Tistou.

— Je ne suis pas rentré à l'écurie hier soir, répondit le poney. Je dois même t'avouer que j'ai essayé toute la nuit de ronger le pied de tes arbres mais le bois est trop dur. Mes dents n'ont rien pu faire.

— Tu as voulu couper ma belle échelle ?
s'écria Tistou. Mais pourquoi cela ? Pour
m'empêcher de monter ?

— Oui, fit le poney.

Des gouttes de rosée se mirent à perler dans
l'herbe. Et en même temps Tistou, à la faible
lumière de l'aube, vit de grosses larmes couler
des yeux du poney.

— Mais voyons, Gymnastique, il ne faut pas
sangloter si fort, tu vas réveiller tout le monde,
dit Tistou. Pourquoi t'inquiéter ? Tu sais bien
que je n'ai pas le vertige. Je ne fais que monter

et descendre ; je dois être rentré avant que Carolus se lève...

Mais Gymnastique continuait à pleurer.

— Oh ! je le savais... je savais que ça devait arriver..., répétait-il.

— Je tâcherai de te rapporter une petite étoile, dit Tistou pour le consoler. Au revoir, Gymnastique.

— Adieu, fit le poney.

Il regarda Tistou s'élancer sur les barreaux de glycine et suivit des yeux son escalade.

Tistou s'élevait régulièrement, léger, agile. Bientôt sa chemise de nuit ne parut pas plus grande qu'un mouchoir.

Gymnastique tendait le cou. Tistou diminuait, diminuait, devenait à peine plus gros qu'une bille, qu'un petit pois, qu'une tête d'épingle, qu'un grain de poussière. Et quand il fut invisible, Gymnastique s'éloigna tristement et alla brouter l'herbe de la prairie, bien qu'il n'eût aucune faim.

Mais Tistou, sur son échelle, voyait encore la terre.

« Tiens, se dit-il, les prairies sont bleues. »

Il s'arrêta un instant. À ces hauteurs, tout

change. La Maison-qui-brille brillait encore, mais comme un minuscule éclat de diamant.

Le vent s'engouffrait sous la chemise de Tistou et la faisait gonfler.

« Cramponnons-nous ! » Et il reprit son escalade. Mais au lieu de se compliquer, l'ascension de Tistou devint de plus en plus facile.

Le vent s'était apaisé. Tout ce qui avait été bruit ou grondement devenait silence. Le soleil étincelait comme un feu géant, mais sans brûler. La terre n'était plus qu'une ombre, n'était plus rien.

Tistou ne sentit pas tout de suite qu'il n'y avait plus d'échelle. Il s'en aperçut seulement lorsqu'il constata qu'il avait perdu ses chères pantoufles et qu'il était pieds nus. Il n'y avait plus d'échelle et pourtant il continuait de monter, sans peine, sans fatigue. Une grande aile blanche le frôla.

« Comme c'est drôle, pensa-t-il, une aile sans oiseau ! »

Et soudain il entra dans un énorme nuage, blanchâtre, mousseux, soyeux, où l'on ne voyait plus rien.

Ce nuage rappelait à Tistou quelque chose...

mais oui, quelque chose d'aussi blanc, d'aussi doux ; ce nuage lui rappelait la moustache de Moustache, en mille, en millions de fois plus grand. Tistou était en train d'avancer dans une moustache aussi vaste qu'une forêt.

Il entendit alors une voix, une voix qui ressemblait à celle de Moustache, mais tellement plus forte, plus grave, plus profonde, il entendit cette voix prononcer :

— Ah ! te voilà, toi...

Et il disparut à jamais dans ce monde invisible dont même les gens qui écrivent des histoires ne savent rien.

Mais Monsieur Père, Madame Mère, Monsieur Trounadisse, Carolus, Amélie, et tous ceux qui aimaient Tistou, allaient s'inquiéter, s'affoler, se désespérer. Gymnastique se chargea de les rassurer en leur fournissant l'explication de tant de merveilles. Ce poney-là, je vous l'ai dit, en savait long.

Donc, à peine Tistou hors de vue, Gymnastique s'était mis à manger l'herbe. Pourtant il n'avait pas faim. Mais il broutait, broutait, d'une curieuse manière, comme s'il cherchait à faire un dessin. Et à mesure qu'il avançait, à la place de l'herbe ôtée par ses dents, aussitôt poussaient des boutons d'or, bien drus et bien épais. Et quand il eut fini, il alla se reposer.

Lorsque les habitants de la Maison-qui-brille sortirent, ce matin-là, en appelant Tistou de tous côtés, ils virent, au milieu de la prairie, deux petites pantoufles et cette phrase, écrite en belles fleurs dorées :

TISTOU ÉTAIT UN ANGE !

MAURICE DRUON

Maurice Druon, né à Paris en 1918, a reçu le Prix Goncourt à trente ans, puis s'est lancé dans une grande série de romans historiques. Élu à l'Académie française en 1966, il a été ministre des Affaires culturelles de 1972 à 1974. Dans son œuvre, qui peint la société sous des couleurs sombres et satiriques, *Tistou* est comme une petite fleur inattendue qu'il a dédiée aux enfants. Nées avec le conte, les images de Jacqueline Duhème en sont inséparables.

TABLE

Avant-propos   7

Chapitre 1
Où l'auteur, à propos du nom de Tistou, fait quelques réflexions   11

Chapitre 2
Où l'on présente à la fois Tistou, ses parents, et la Maison-qui-brille   17

Chapitre 3
Où l'on apprend à connaître Mirepoil, ainsi que l'usine de Monsieur Père   27

Chapitre 4
Où Tistou est envoyé à l'école et n'y reste guère   31

Chapitre 5
Où le souci pèse sur la Maison-qui-brille, et où l'on décide, pour Tistou, d'un nouveau système d'éducation   37

Chapitre 6
Où Tistou prend une leçon de jardin, et découvre, du même coup, qu'il a les pouces verts   43

Chapitre 7
Où l'on confie Tistou à Monsieur Trounadisse, qui lui donne une leçon d'ordre   55

Chapitre 8
Où Tistou fait un rêve affreux, et ce qu'il en résulte   65

Chapitre 9
Où les savants ne découvrent rien, mais où Tistou, lui, fait une découverte   73

Chapitre 10
Où Tistou retrouve Monsieur Trounadisse qui lui donne une leçon de misère   81

Chapitre 11
Où Tistou décide d'aider le docteur Mauxdivers   91

Chapitre 12
Où le nom de Mirepoil s'allonge   101

Chapitre 13
Où l'on cherche à distraire Tistou.   107

Chapitre 14
Où Tistou, à propos de la guerre, se pose de
nouvelles questions   113

Chapitre 15
Où Tistou prend une leçon de géographie, sui-
vie d'une leçon d'usine, et où le conflit entre les
Vazys et les Vatens s'étend de manière imprévue   123

Chapitre 16
Où se succèdent les nouvelles stupéfiantes   137

Chapitre 17
Où Tistou, courageusement, se dénonce   145

Chapitre 18
Où quelques grandes personnes finissent par
renoncer à leurs idées toutes faites   155

Chapitre 19
Où Tistou fait une dernière découverte   163

Chapitre 20
Où l'on apprend enfin qui était Tistou   173

Le Livre de Poche s'engage pour l'environnement en réduisant l'empreinte carbone de ses livres. Celle de cet exemplaire est de : 300 g éq. CO_2 Rendez-vous sur www.livredepoche-durable.fr

PAPIER À BASE DE FIBRES CERTIFIÉES

« Pour l'éditeur, le principe est d'utiliser des papiers composés de fibres naturelles, renouvelables, recyclables et fabriquées à partir de bois issus de forêts qui adoptent un système d'aménagement durable. En outre, l'éditeur attend de ses fournisseurs de papier qu'ils s'inscrivent dans une démarche de certification environnementale reconnue. »

Édité par la Librairie Générale Française - LPJ
(58 rue Jean Bleuzen, 92170 Vanves)

Composition Jouve
Achevé d'imprimer en Espagne par Liberdúplex
Dépôt légal 1re publication août 2014
64.0002.0/06 - ISBN : 978-2-01-000921-1
Loi n° 49-956 du 16 juillet 1949 sur les publications destinées à la jeunesse
Dépôt légal : juillet 2019